JN087600

2024年度版

受験要項 + 過去出題問題付き

AutoCAD
Jw_cad
対応

建築CAD
検定試験

公式ガイドブック 准1級 2級 3級 4級

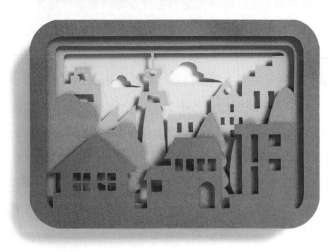

一般社団法人 **全国建築CAD連盟 公認**

全国建築CAD連盟顧問
鳥谷部 真 著

　本書は全国建築 CAD 連盟が実施している建築 CAD 検定試験の受験者を対象とした総合的な参考書です。2003 年に初めて出版してから毎年改訂版を出版していて本書で 22 冊目になります。過去問題を最近出題した問題に毎年変えており、本文についても見直し、今回は IV 章「2 級問題の解説・解法例」を全面的に書き換えております。

　建築 CAD 検定試験の情報を可能な限り公開し、実際に出題した多数の問題（4 級から准 1 級）を掲載し、PDF ファイルをダウンロードできるようにしています。さらに建築 CAD 製図についてその基本を詳しく説明し、試験問題についても 3 級から准 1 級までを解説しています。そして本書での解説の内容を建築 CAD 検定試験の採点基準にしています。

　3 級試験問題の 2 題を取り上げ Jw_cad と AutoCAD の両方で解法手順を紹介しています。4 級問題の解説はありませんが 4 級試験の受験者は 3 級の解説および解法手順をもとに準備をしていただければ比較的簡単に合格できるはずです。

　建築 CAD 検定試験はすべて実技試験です。これは CAD 周辺の知識をいくら得たとしても CAD を操作できなければ役に立たないし社会的に信用されないからです。このため建築 CAD 検定試験では筆記試験を課していません。試験問題の多くはトレース問題です。このためトレーサーになるための試験だと錯覚する人がまれにいますがそれは大きな間違いです。設計実務で通用する CAD の操作能力を持っているかは時間内にトレースできるかを見れば確実に判定できるため、建築 CAD 検定試験ではトレース問題を採用しています。

　建築 CAD 検定試験の準備というと過去問題の解法に集中しがちですがせっかく準備に時間を割くのですから建築 CAD 製図の基本を知ったうえで練習したほうが身に付きますし将来の仕事に自信をもって臨めます。しかし建築製図の参考書はあっても建築 CAD 製図の適切な参考書がほとんど無いのが実情ですので、本書はページ数が許す限り建築 CAD 製図の基本を解説しています。建築製図に決まりはあるのか、線の太さは何ミリにすればよいのか、読みやすい寸法はどんなものかなど建築 CAD 製図を勉強すると必ず出てくる疑問に答えています。このようにたとえ建築 CAD 検定試験の受験者でなくても、本書は建築学生など建築の初学者にも役立つ本を目指して執筆しております。

　以上のように盛りだくさんの内容ですが読みやすく分かりやすくを第一にして書きましたので気楽に接していただけると思います。

鳥谷部 真 ➡

ごあいさつ

一般社団法人 全国建築 CAD 連盟
試験センター

2019 年 12 月に閣議決定された GIGA（Global and Innovation Gateway for All）スクール構想。「子供たち一人ひとりに個別最適化され、創造性を育む教育 ICT 環境の実現に向けて」という合言葉のもと、小・中学生 1 人 1 台の教育用端末が整備され、地域差はあるものの高等学校も整備がほぼ完了に向けて大きく進行しています。

そもそもこの構想は、当時の調査で「学校の授業におけるデジタル機器の使用時間が OECD 加盟国で最下位」と振るわなかった衝撃から練られたものですが、新型コロナウイルスの蔓延に伴い教育分野のデジタル化の遅れが顕在化したこともありすぐさま進められました。

この構想により、全国の若者はこれまでの時代とは比較にならない高い次元での ICT 教育を受けることとなり、労働環境にとっていかに ICT が重要なのかを学ぶこととなります。

一方、これまでの建設業界は「デジタル化の遅れ」や「非効率な業務・長時間労働」などの構造的な課題が深刻で、長らく若者から敬遠されてきた現実があり、GIGA スクール構想はある意味業界全体に変革が待ったなしであることを突き付けたのでした。

このような現状を解決するため、現在建設業界で急速に進められているのが「建設 DX」の導入です。DX とはデジタルトランスフォーメーション（Digital Transfomation）の略称で、デジタル技術を活用し、今まで人がいないと不可能と思われていた作業を電子化し自動で行うことにより、労働環境を飛躍的に改善しようとする試みです。

高齢化の影響で、現在の従事者たちがさらに高齢になり、一斉に離職する危険性が指摘される「2025 年問題」も相まって、この建設 DX を一気に推し進めることで若者の建設業への就業を強く後押ししようと大きな期待が寄せられています。

空前の建設ラッシュとなった「東京オリンピック」の建設バブル後の現在でも、建設需要は衰えず今後も大規模な国家プロジェクトが目白押しであり、まさに国づくりの根幹にかかわる "未来ある業界" だからこそ、国や業界団体が一体となり、変革や人材確保・育成に心血を注ぎ、この産業を発展・成長させていく必要があるでしょう。

建築 CAD 資格を得た若い多くの皆様が、この建設業界の扉をたたき、CAD 情報リテラシーを持つ有能な人材としていつの日か建築士や ICT 技術者らとともに、この国の未来を築くプロの職能人として大いに活躍されますことを心から期待しています。

2024 年 4 月

2024年度版

建築 CAD 検定試験 公式ガイドブック

Ⅳ章 2級問題の解説・解法例　137

Ⅴ章 准1級問題について　169

Ⅵ章 建築CAD製図Q&A　179

本書で使用している表記

▶ ○○ キーを押す ・・・
キーボードにあるキー（英数字以外）をあらわします。
　例：Enter キーを押す

▶ 「キーイン」と「入力」 ・・
キーボードのキーを押すことを「キーイン」、キーインしたあと Enter キーを押して確定させることを「入力する」と書きます。

▶ 〈○○〉 ・・・
キーインする内容は〈 〉で挟んであらわします。下記の場合、5000をキーボードでキーインします。
　例：〈**5000**〉とキーインする

▶ ○○ をクリックする ・・
ボタンはボタン名を □□□ で囲んで表記します。
　例：OK をクリックする

カバーデザイン：坂内 正景
切り絵制作：板垣 可奈子
写真：持城 壮
DTP：中川 清（EDITEX）
印刷：株式会社ルナテック

I 章

建築 CAD 検定試験とは

最初に「建築 CAD 検定試験」とはどんな試験なのか、詳しく説明します。

1 建築 CAD 検定試験の主催者と種類

1-01 建築 CAD 検定試験の主催者

建築 CAD 検定試験の主催者は「**一般社団法人 全国建築 CAD 連盟**」という名の民間団体です（http://www.aacl.gr.jp/）。略称は「AACL」で "All Japan Architect CAD League" を意味します。

全国建築 CAD 連盟は、何らかの CAD ベンダー（メーカー）がスポンサーになっているわけでなく、建築 CAD 関連の検定試験を実施するために設立された法人です。全国にある試験認定校が連盟のメンバーです。

1-02 建築 CAD 検定試験の種類

建築 CAD 検定試験は**准 1 級、2 級、3 級、4 級**の 4 種類があります。また模擬テストも行われています。このうち 3 級はこの試験が始まった時からある試験で、建築 CAD 製図を理解し、操作できるかを問う試験です。試験は年 4 回（4 月、7 月、10 月、1 月、ただし 7 月・1 月は団体受験のみ）行なわれ、2024 年 4 月の試験が 96 回目になります。

4 級は 2003 年 4 月にスタートした試験で、高校生を対象としています。このため対象高校にしか案内しませんので一般の方は受験できません。試験方法は 3 級とほぼ同じですが、内容は 3 級より簡単になっています。建築 CAD 検定試験（准 1、2、3、4 級）は全国工業高等学校長協会の「**ジュニアマイスター顕彰制度**」および全国農業高等学校長協会の「**アグリマイスター顕彰制度**」の対象資格となっておりますのでこれからも多数の受験者数が見込まれています。

2 級は CAD の操作のほかに、初歩的な建築の知識を問うものです。たとえば平面図、断面図、屋根伏図を元に平面詳細図と立面図を描く試験で、2 次元の図面を読み取ってそれがどんな建物かを想像できないと合格できません。准 1 級は 169 ページで詳しく説明します。

ジュニアマイスター
顕彰制度区分表

検定名	区分
建築 CAD 検定 准1級	A（20 点）
2 級	B（12 点）
3 級	D（4 点）
4 級	E（2 点）

アグリマイスター
顕彰制度 ※登録区分／B

検定名	区分
建築 CAD 検定 准1級	A（20 点）
2 級	C（7 点）
3 級	D（4 点）
4 級	F（1 点）

	准1級	2級	3級	4級	2級・3級模擬テスト
受験資格	規定なし	規定なし	規定なし	規定なし (高校での団体受験のみ)	規定なし
実施時期	年1回 (10月)	年4回 (4月、7月、10月、1月) ※7月と1月は団体 受験のみ	年4回 (4月、7月、10月、1月) ※7月と1月は団体 受験のみ	年4回 (4月、7月、10月、1月)	随時 (要問い合わせ)
試験時間	実技 4時間10分 (設定10分、準備 30分、作図時間 3時間30分)	実技 5時間	実技 2時間	実技 2時間	2級・3級に同じ
受験料	14,700円	10,500円	10,500円	3,150円	2級 (4,000円)／ 3級 (3,000円) (判定チェック料含む)
認定証発行 手数料 (希望者のみ)	2,000円				認定証の発行はなし

※料金はすべて税込みです。

　試験に合格すると「建築CAD検定試験○級合格者」になり、**認定証**を発行してもらえる権利が生まれます。

　なお認定証が無くても建築CAD検定試験に合格したという事実に変わりなく、全国建築CAD連盟に照会すれば、「建築CAD検定試験○級合格者」であることを回答してもらえます。

　認定証はWeb上で発行するスタイルのため、パソコンやスマートフォンなどに保存でき、紛失した際も無料で再発行できます。もちろん印刷した認定証は資格保有者としての公式の証明書として利用いただけます。

認定証デザイン見本

※デザインは変更される場合があります

認定証表示・保存イメージ

スマートフォン

タブレット

パソコン

額装

1 級について

　建築 CAD 検定になぜ 1 級がないのかとよく聞かれます。これに対し 1 級は時期尚早でまだできないと答えています。試験方法も採点方法も現時点では環境が整っていないからです。建築 CAD 連盟では 1 級の合格者を次のような能力がある人と設定しています。

・複数の CAD を自由自在に操作できること
・異なる CAD 間、他のジャンルのソフトとのデータ変換ができること
・ネットワーク技術の知識（サーバーやセキュリティなど）があること
・建築設計図に関する知識が十分にあること

・建築設計プロジェクトの中で設計図作成部門を統括できること

　以上のように、建築設計能力は問わないが、CAD および CAD 周辺については十分な知識と操作能力を持っている人、すなわち設計組織で CAD 管理者（スーパーバイザー）の役をこなせる人と設定しています。このような人をどうやって試験で見出せるのか、どうやって試験をすればよいのかそして採点 / 判定を誰がやるのか。いずれの答えも手がかりさえつかめていない状況です。

2 受験方法

　建築 CAD 検定試験は全国建築 CAD 連盟 試験センター（以下、試験センター）が実施しますが、受験方法に以下の 2 種類があります。

(1) 団体受験…認定校受験（准 1 級、2 級、3 級、4 級）
(2) 一般受験…会場受験（准 1 級、2 級、3 級）

　以下、それぞれについて説明します。

2-01
団体受験（准 1 級、2 級、3 級、4 級）

　団体受験とは CAD を教えている教育機関、たとえば大学、専門学校、CAD スクールなどの学生・生徒がその教育機関の会場で受験するもので、年 4 回（4 月、7 月、11 月、1 月）行なわれています。これらの団体はあらかじめ全国建築 CAD 連盟が**試験認定校**として認定するもので現在、**全国で約 750 校**（2024 年 1 月現在）あります。なお前に記したように 4 級は高校生のみ受験できます。

　受験される方は建築 CAD 検定試験の指定認定校になっているかを、ご自分が所属している学校に確認してください。そして受験願書も学校に提出します。

　この団体受験は CAD 教育機関に備えられているパソコンと CAD ソフトを用いて受験します。パソコン・CAD ソフトの数より受験者数が多い場合は、数回に分けて試験を行ないますが、このときの問題は後述するように各回とも別の問題になります。

※一定の条件を満たせば、企業による社内受験もできます。詳しくは全国建築 CAD 連盟にお問合せください。

② -02
一般受験…会場受験（准1級、2級、3級）

　一般受験（会場受験）は建築CAD検定試験を団体受験する機会の
ない方のために用意された受験方法で、年2回（4月と10月）行わ
れています。

　この受験方法は全国にある会場で、会場にあるパソコン・CADソ
フトで受験するか、あるいはノートパソコンを持参して受験します。
解答図面は連盟の用意するUSBメモリに保存して提出します。

　会場にあるパソコンを使用する場合は、そのパソコンにインストー
ルしてあるCADソフトを使わねばなりません。会場の所在地、CAD
ソフト名とバージョンは、受験の申込み開始時期になると全国建築
CAD連盟のサイト（https://www.aacl.gr.jp/）に掲載されているの
でこれを見てください。

 トヤベのひとくちメモ!

模擬テスト「CAD通信講座」として好評

　本試験へのチャレンジの前に、本番さなが
らの模擬テストが受験できたら、もっと積極
的に受験できるのに、と考える多くの受験者
の声から、2004年春から、2級・3級とも
に模擬テストがスタートしました（テスト料：
2級4,000円／3級3,000円）。

　利用者は判定チェックが受けられ、本試験
への対策が講じられることとなり、ご自分の
試験準備の成果を本試験に近い模擬試験で確
認したい受験者に喜ばれています。

　詳しくは241ページを参照してください。

3 試験問題について

　試験問題は2級と3、4級では形式が異なるのでそれぞれ説明します。准1級についてはV章で詳しく説明します。

③-01
3級の問題

　3級の試験問題は4問あり、すべて実技試験です。各問題とも「**完成図**」、「**参考図**」および「**補足説明**」が与えられ、完成図をCADでトレースします。参考図にはトレースするのに必要な寸法やサイズが書かれています。また補足説明は4問に共通で、解答するときの注意点が書かれています。

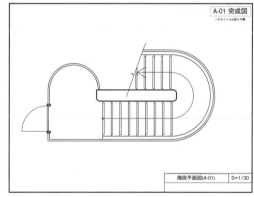

完成図の例。これをCADで描けばよい

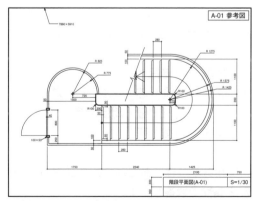

参考図の例。完成図をCADで描くときに参考にする図

問題 参考図を参照しながら完成図と同じ図面を入力し、入力したデータをメディアに保存して提出せよ。

補足説明

①用紙サイズは A4 判とする。

②縮尺は完成図および参考図の右下に記してある。

③参考図に記したサイズで図面枠の線を入力すること。

④参考図で「R」は半径、「φ」は直径、「t」は壁厚を意味する。

⑤線の太さは特に指定しないが、太線・中線・細線の3種類を使用するのがのぞましい。

⑥文字の大きさと形（フォント）は特に指定しないが、極端に大きな文字や読みにくい小さな文字は避けること。

⑦通り芯線は一点鎖線で描くこと。

⑧サイズ（寸法）を指定している部分は、指定通りに入力すること。

⑨参考図では、柱・建具枠・壁厚など容易に同じと分かる部分のサイズを記入していない。このような部分をサイズの記入が無いからといっていいかげんに入力すると減点対象になる。

⑩レイヤーの使い分けは評価の対象外とする。

⑪完成図に無いことは入力しないこと。

⑫建具（ドア・サッシュ類）は、シンボル（ライブラリ、部品図形）の使用を禁ずる。

⑬寸法線の先端形状は矢印・丸留め・斜線など自由である。また寸法補助線と寸法線どうしの処理も特に指定しない（たとえば、飛び出してもよい）。

⑭傾いた寸法の文字の向きは参考図と違っていてもよい。

⑮傾いた通り芯記号の文字の向きは参考図どおりとする。

⑯受験番号と氏名を、図面右下の「受験番号・氏名」と記した部分に記入すること。
なお「受験番号・氏名」という文字は記入しない。

⑰保存ファイル名は、受験番号に図面右上のタイトル内のアルファベットを加えたものとする（例：1234567A）。

⑱監督者が指定するメディアに、4問（A・B・C・D）の解答図面データを保存し、提出すること。なお、いずれか1つでも解答図面データが無い場合は採点対象外になる。

以上

　　ここに掲載した補足説明は一例です。補足説明は毎回同じというわけでなく、変わる可能性があるので、CAD 入力をはじめる前にしっかりと読んでください。

　　前ページで例にあげた問題は「階段」の平面図で、問題の No の頭に「A」が付いてます。これは A 群の問題であり、階段の平面図であることを示します。他の群を含めて以下に記します。

　　　A 群　　　「階段」
　　　B 群　　　「通り芯・寸法・通り芯記号」
　　　C 群　　　「柱・壁・間仕切壁」
　　　D 群　　　「壁と窓」

　　現在あるのは4群だけで、各群から1問ずつ問題が出て、**計4問を2時間で解答**します。

　　将来もこの4群から問題が出るのかというとそうではなく E 群、F 群と増えるかもしれません。しかし、ここ数年は現在のまま変わらな

いと予想されます。

　各群にはそれぞれ複数の問題が用意されていて、試験センターで選定し、何組もの問題を作ります。

　たとえば…

問題Ａは「A05」＋「B02」＋「C01」＋「D06」
問題Ｂは「A07」＋「B04」＋「C01」＋「D05」

といったように作ります。

　これにより日時を変えて何回も試験をすることが可能になります。たとえば４月の毎週日曜日に２回ずつ、これで計８回の試験が１つの会場で可能になります。８回の問題のうち一部同じ問題があるかもしれません。上の例で「C01」が両方に使われていますが、受験者からするとどんな組み合わせになるか予想できません。つまり同じ問題があるのかもわかりません。このため先に受験した人から問題の内容を聞いても、ほとんど役に立ちません。

次に3級の試験問題の例を示します。これらの問題は実際に出題されたものですので、しばらくは使われないはずです。ここではどの程度の問題が出るかを掴むためですので完成図だけ示します。なお練習用には「Ⅱ章 試験問題編」として多数の過去問題を用意しましたのでそちらを使って練習してください。参照 021ページ

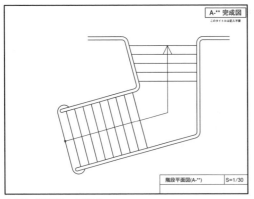

A群（階段）の例1

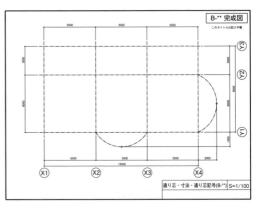

B群（通り芯・寸法・通り芯記号）の例1

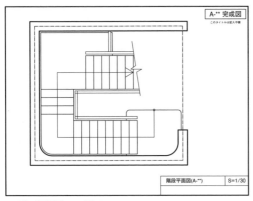

A群（階段）の例2

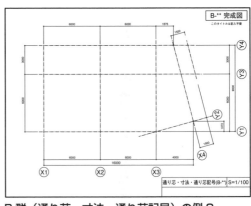

B群（通り芯・寸法・通り芯記号）の例2

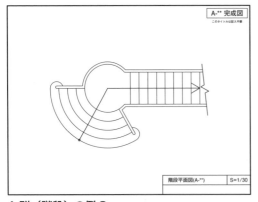

A群（階段）の例3

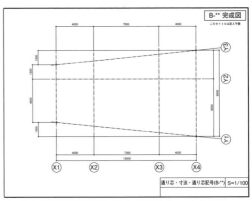

B群（通り芯・寸法・通り芯記号）の例3

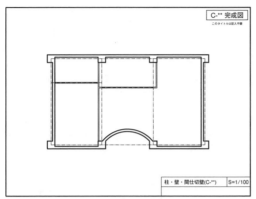

C群（柱・壁・間仕切壁）の例1

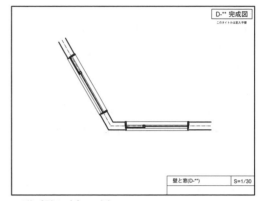

D群（壁と窓）の例1

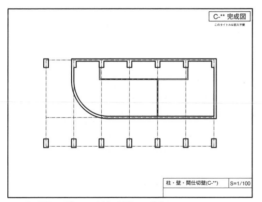

C群（柱・壁・間仕切壁）の例2

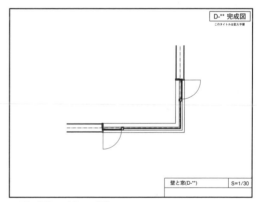

D群（壁と窓）の例2

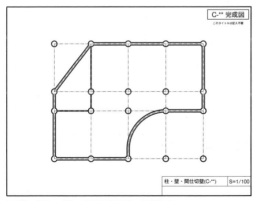

C群（柱・壁・間仕切壁）の例3

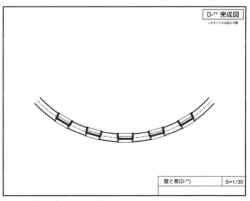

D群（壁と窓）の例3

③-02
4級の問題

　4級の問題は3級とよく似ています。試験時間も**2時間**で同じですが、違うのは**問題数が3問**で、それぞれの問題が3級よりやさしくなっています。具体的には3級では円弧や斜め線がたくさんあらわれますが、4級ではほとんどが水平／垂直線の図形です。そして3問の内容は次の通りです。

　　A群　　「柱・壁・間仕切壁」
　　B群　　「通り芯・寸法・通り芯記号」
　　C群　　「壁と窓」

　右に、各群の問題例を1つずつ図示します。

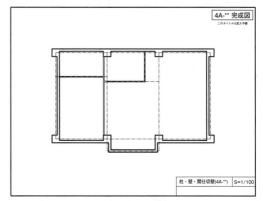

A群（柱・壁・間仕切壁）の例

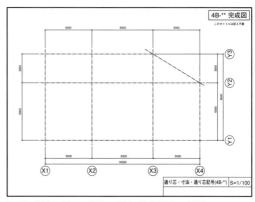

B群（通り芯・寸法・通り芯記号）の例

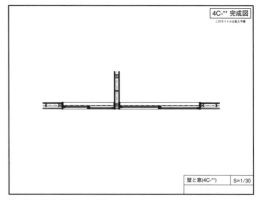

C群（壁と窓）の例

③-03
2級の問題

　2級の問題は3級、4級とまったく異なります。補足説明といくつかの図面を元に2つの図面を描くのが問題です。図面の1つ目は縮尺1/50の平面詳細図が1面、2つ目は立面図を1面を描きます。

　下図は2級問題の実例です。平面図、透視図、断面図、屋根伏図、および縮尺1/50の平面詳細図の密度を示す図が描かれてます。これを元に1階平面詳細図と南立面図を縮尺1/50で描くのが問題です。用紙はA3判を2枚用います。これにより提出ファイルは2ファイルになります。

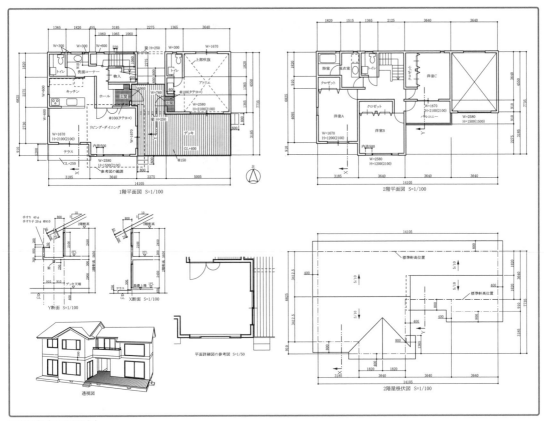

2級試験の問題例

　これまで2級試験の問題はすべて戸建て住宅で、これは今後も続くでしょう。用途は専用住宅あるいは兼用住宅で、兼用住宅の内容はオフィス付き住宅、工房付き住宅、趣味室付き住宅などがあります。しかしどんな用途の建物でも、問題中に図面を描くための情報が示されていますので、心配することはありません。

　2級のポイントは平面図などの2次元図面や透視図を読み取り、それがどんな建物かを把握できるかです。立面図を要求するのは建物の形をきちんと想像できないと描けない図面だからです。

　また縮尺1/50の平面詳細図はCAD操作ができるかどうかを見るためのものです。

教材データのダウンロードについて

Ⅱ章に掲載されている過去問題、完成図、参考図、解答例の図面の PDF ファイルをインターネットからダウンロードできます。

教材データのダウンロード方法

● Webブラウザ（Microsoft Edge、Google Chrome、FireFox等）を起動し、以下のURLのWebページにアクセスしてください。

https://www.xknowledge.co.jp/support/9784767832661

● 図のような本書の「サポート＆ダウンロード」ページが表示されたら、記載されている注意事項を必ずお読みになり、ご了承いただいたうえで、教材データをダウンロードしてください。

● 教材データはZIP形式で圧縮されているので、ダウンロード後に解凍してください。ZIP形式ファイルの解凍（展開）方法は、ご使用のWindowsなどOSのヘルプやマニュアルを読んでご確認ください。

● 解凍した教材データは、デスクトップなどわかりやすい場所に移動してご使用ください。

● 教材データに含まれるファイルやプログラムなどを利用したことによるいかなる損害に対しても、データ提供者（開発元・販売元等）、著作権者、ならびに株式会社エクスナレッジでは、一切の責任を負いかねます。

教材データの収録内容

● Ⅱ章に掲載されている過去問題、完成図、参考図、解答例の図面のPDFファイルが、ZIPファイルとして圧縮されています。

● PDFファイルを開いたり、印刷したりするには、「Adobe Acrobat Reader」などのPDFファイル閲覧・印刷アプリケーションが必要です。

● PDFファイルをA4サイズ（2級試験の解答例および准1級試験はA3サイズ）で印刷すると実際の図面サイズとなりますので、練習などにご活用ください（本書の紙面では図面は80%に縮小されております）。

II章

試験問題編

　資料として過去の問題を掲載します。問題は本試験と同じ内容です。ご自分で模擬試験をするのに使ってください。各問題のサイズは 80% に縮小しているのでコピー機で 1.25 倍に拡大すると本試験の問題と同じ大きさになります。

　なお本章で掲載している試験問題の縮小されていない図面（PDF ファイル）はインターネットからダウンロードできます（020 ページ参照）。

過去出題問題集

　ここに18題の問題を掲載します。3級の12題は2023年4月から2024年1月の検定試験で実際に出題した問題です。1題を30分以内で入力できるようにしてください。

　4級の3題は2023年7月と2024年1月に出題した問題です。1題を40分以内に入力できればよいです。ただし4級を受験しようという人も3級の問題で練習することをお勧めします。少し難しい問題で練習しておけば4級は楽に合格できるはずです。

　2級の問題は2023年10月に出題したものを掲載します。2級に合格するためにはある程度建築の知識が必要です。137ページから過去の問題を例にして解説していますのでこれを読んでから練習することをお勧めします。

　准1級試験は不正を防止するため複数の問題を作成しランダムに出題しています。本書に掲載した問題は2023年10月に出題した問題の中の1題です。

▶この問題集には4級の問題3問、3級の問題12問、2級の問題2問、准1級問題1問を収録しています。

▶図面は縮小して掲載しています。縮小率は80％ですので1.25倍にすれば元のサイズに戻ります。

問題　　　参考図を参照しながら完成図と同じ図面を入力し、入力したデータをメディア
　　　　　に保存して提出せよ。

補足説明

1. 用紙サイズはA4判とする。

2. 縮尺は完成図および参考図の右下に記してある。

3. 参考図に記したサイズで図面枠の線を入力すること。

4. 線の太さは特に指定しないが、太線・中線・細線の3種類を使用するのがのぞましい。

5. 文字の大きさと形（フォント）は特に指定しないが、極端に大きな文字や読みにくい小さな文字は避けること。

6. 通り芯線は一点鎖線で描く。

7. サイズ（寸法）を指定している部分は、指定通りに入力すること。

8. 参考図では、柱・建具枠・壁厚など容易に同じと分かる部分のサイズを記入していない。このような部分をサイズの記入が無いからといっていいかげんに入力すると減点対象になる。

9. レイヤーの使い分けは評価の対象外とする。

10. 完成図に無いことは入力しないこと。

11. 建具（ドア・サッシュ類）はシンボル（ライブラリ、部品図形）の使用を禁ずる。

12. 寸法線の先端形状は矢印・丸留め・斜線など自由である。また寸法補助線と寸法線どうしの処理も特に指定しない（たとえば、飛び出してもよい）。

13. 受験番号と氏名を、図面右下の「受験番号・氏名」と記した部分に記入すること。なお「受験番号・氏名」という文字は記入しない。

14. 保存ファイル名は、受験番号に図面右上のタイトル内のアルファベットを加えたものとする。（例：1234567A）

15. 監督者が指定するメディアに3問（A・B・C）の解答図面データを保存し、提出すること。なお、いずれか1つでも解答図面データが無い場合は採点対象外になる。

以上

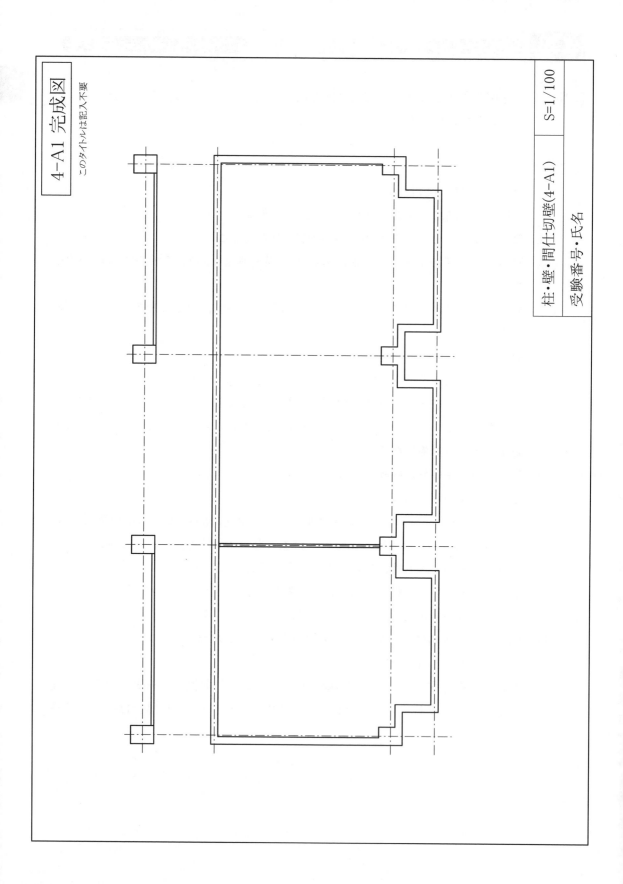

4-A1 完成図

このタイトルは記入不要

柱・壁・間仕切壁(4-A1)　　S=1/100

受験番号・氏名

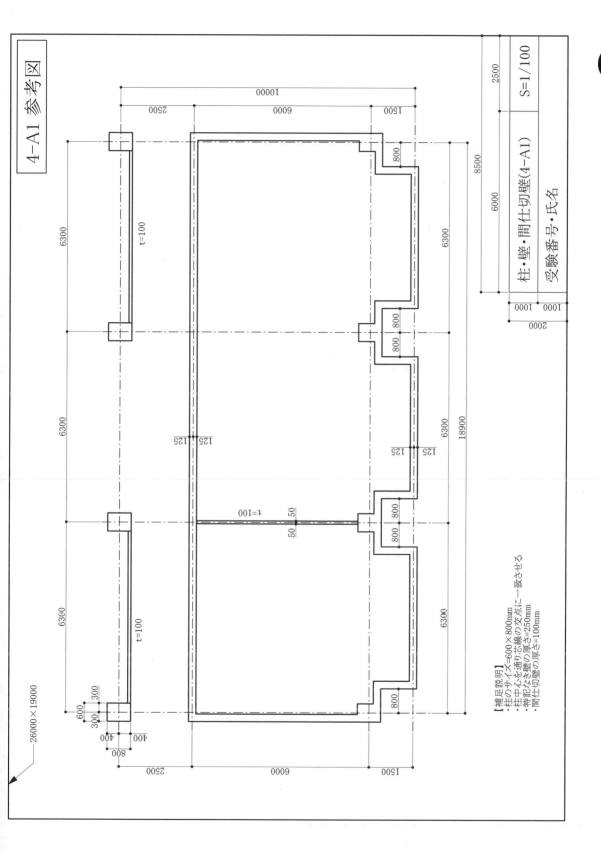

4-A1 参考図

【補足説明】
・柱のサイズ＝600×800mm
・柱中心を通り芯線の交点に一致させる
・特記なき壁の厚さ＝250mm
・間仕切壁の厚さ＝100mm

柱・壁・間仕切壁(4-A1)	S=1/100
受験番号・氏名	

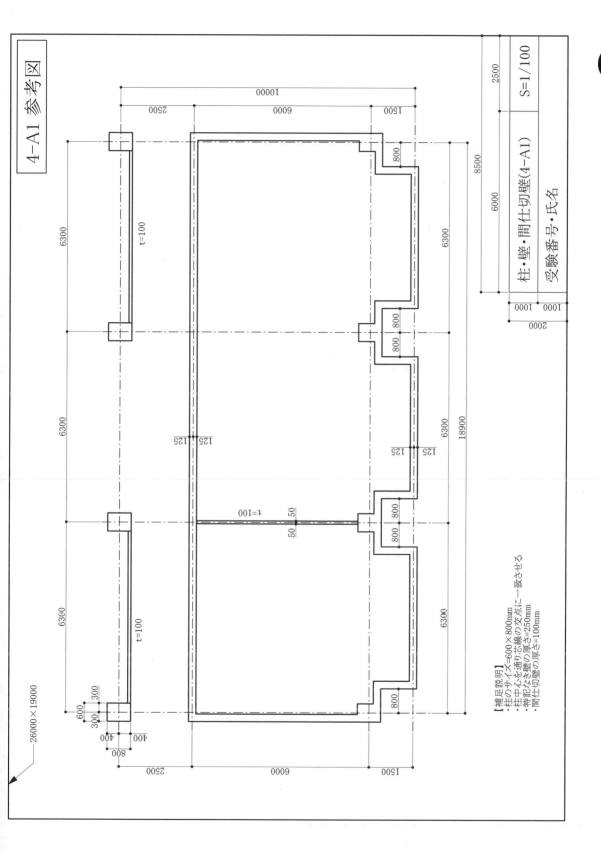

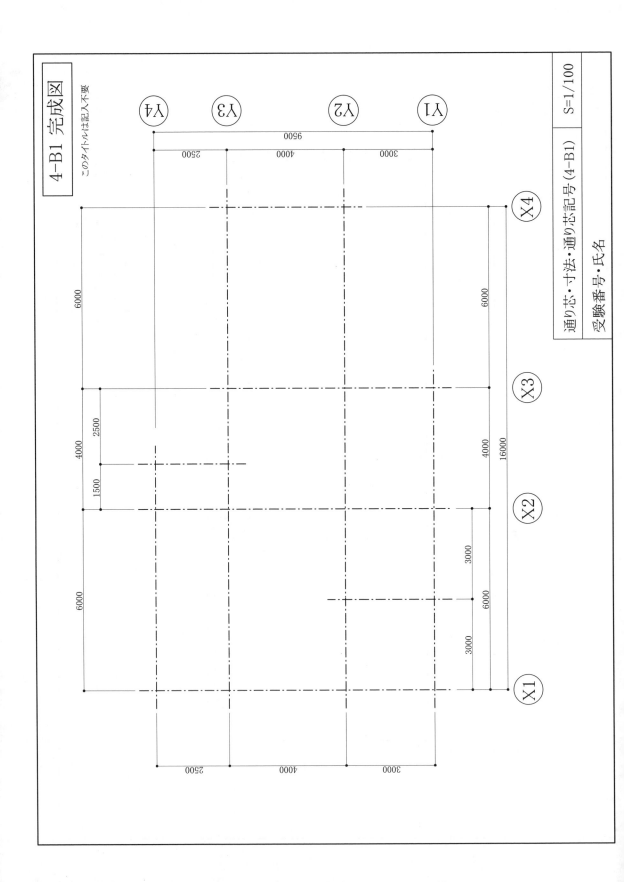

4-B1 完成図

このタイトルは記入不要

通り芯・寸法・通り芯記号 (4-B1)

S=1/100

受験番号・氏名

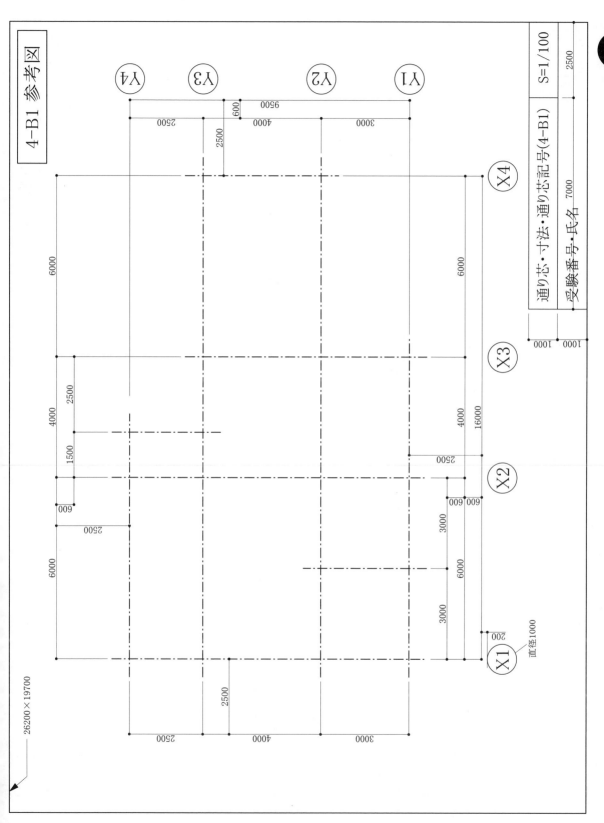

4-B1 参考図

| 通り芯・寸法・通り芯記号(4-B1) | S=1/100 |
| 受験番号・氏名 | |

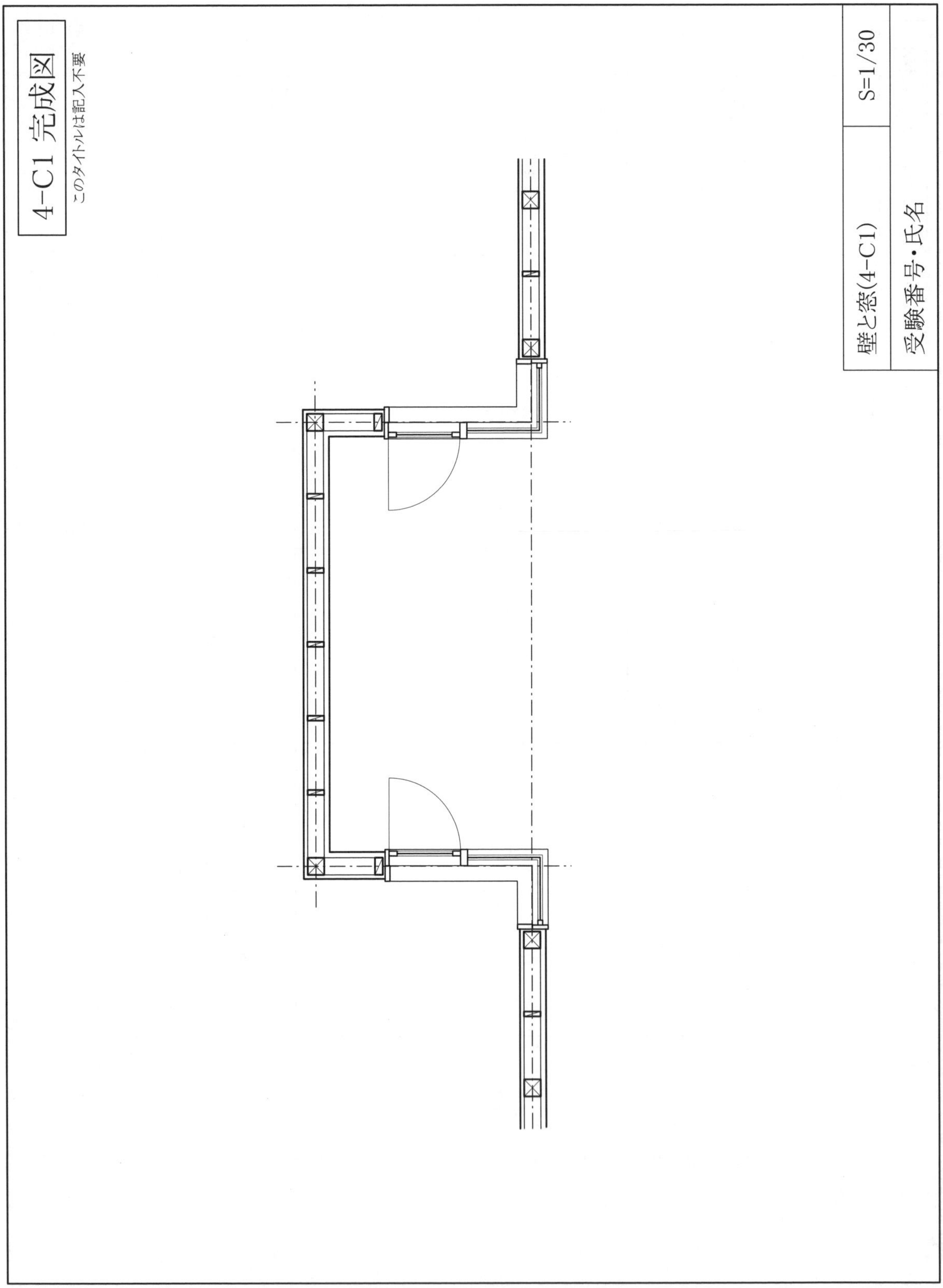

壁と窓(4-C1)

受験番号・氏名

S=1/30

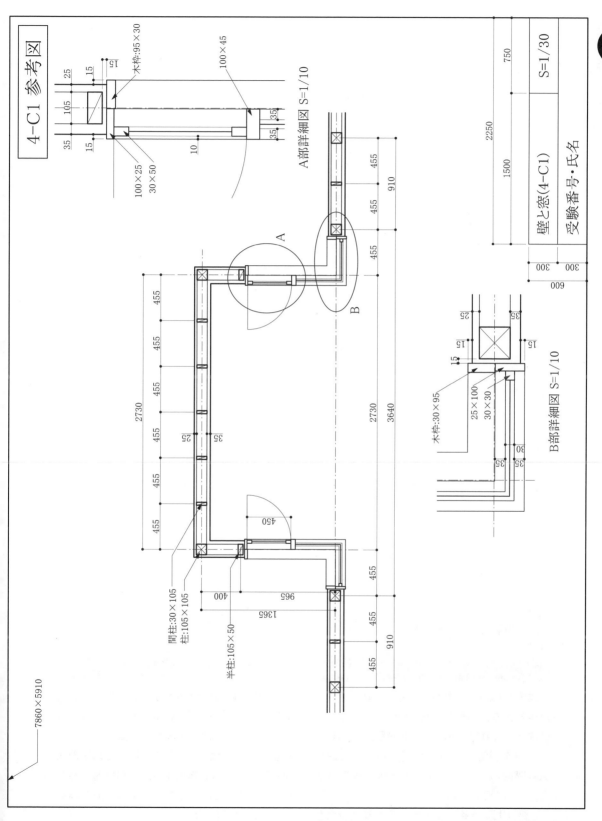

4-C1 参考図

木枠:95×30

100×45

A部詳細図 S=1/10

100×25
30×50

B部詳細図 S=1/10

木枠:30×95

25×100
30×30

間柱:30×105
柱:105×105

半柱:105×50

7860×5910

壁と窓(4-C1)

S=1/30

受験番号・氏名

２級と３級の違い

　建築 CAD 検定試験の３級と２級の違いを説明します。３級は「設計者から詳細な指示が与えられれば CAD で建築設計図を描ける人材かを判定する」というものです。３級の試験問題の「参考図」が「設計者からの詳細な指示」に相当します。

　２級は「設計者からスケッチを与えられれば CAD で建築設計図を描ける人材かを判定する」です。建築設計図は多数あります。このうちのいくつかの図面から立面図を作成する能力をみる試験です。２級試験では平面図から平面詳細図を作成する試験も同時に課せられますが、これは CAD の操作能力をみるための試験です。

問題 　参考図を参照しながら完成図と同じ図面を入力し、入力したデータをメディアに
　　　 保存して提出せよ。

補足説明

1. 用紙サイズはA4判とする。

2. 縮尺は完成図および参考図の右下に記してある。

3. 参考図に記したサイズで図面枠の線を入力すること。

4. 参考図で「R」は半径、「φ」は直径、「t」は壁厚を意味する。

5. 線の太さは特に指定しないが、太線・中線・細線の3種類を使用するのがのぞましい。

6. 文字の大きさと形（フォント）は特に指定しないが、極端に大きな文字や読みにくい小さな文字は避けること。

7. 通り芯線は一点鎖線で描くこと。

8. サイズ（寸法）を指定している部分は、指定通りに入力すること。

9. 参考図では、柱・建具枠・壁厚など容易に同じと分かる部分のサイズを記入していない。このような部分をサイズの記入が無いからといっていいかげんに入力すると減点対象になる。

10. レイヤーの使い分けは評価の対象外とする。

11. 完成図に無いことは入力しないこと。

12. 建具（ドア・サッシュ類）は、シンボル（ライブラリ、部品図形）の使用を禁ずる。

13. 寸法線の先端形状は矢印・丸留め・斜線など自由である。また寸法補助線と寸法線どうしの処理も特に指定しない（たとえば、飛び出してもよい）。

14. 傾いた寸法の文字の向きは参考図と違っていてもよい。

15. 傾いた通り芯記号の文字の向きは参考図どおりとする。

16. 受験番号と氏名を、図面右下の「受験番号・氏名」と記した部分に記入すること。なお「受験番号・氏名」という文字は記入しない。

17. 保存ファイル名は、受験番号に図面右上のタイトル内のアルファベットを加えたものとする。（例：1234567A）

18. 監督者が指定するメディアに、4問（A・B・C・D）の解答図面データを保存し、提出すること。なお、いずれか1つでも解答図面データが無い場合は採点対象外になる。

以上

階段平面図(3–A1)

受験番号・氏名

S=1/30

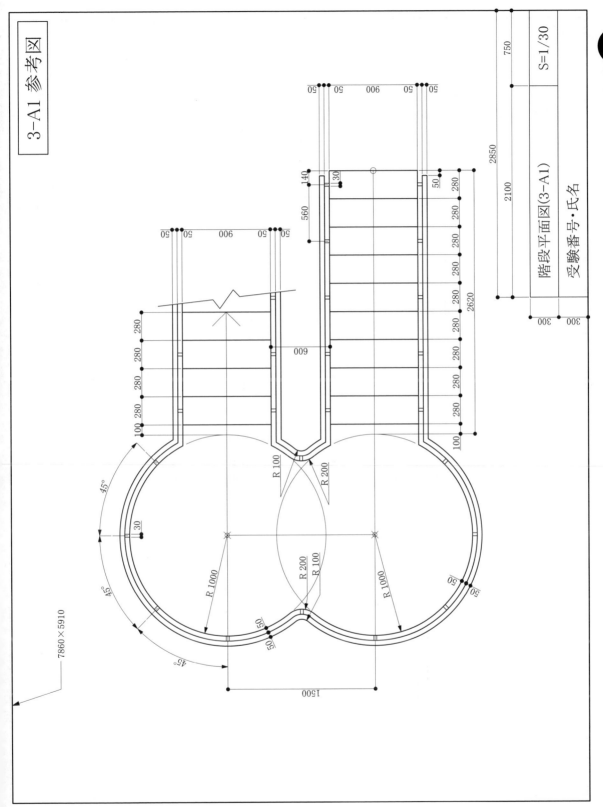

3-A1 参考図

7860×5910

S=1/30

階段平面図(3-A1)

受験番号・氏名

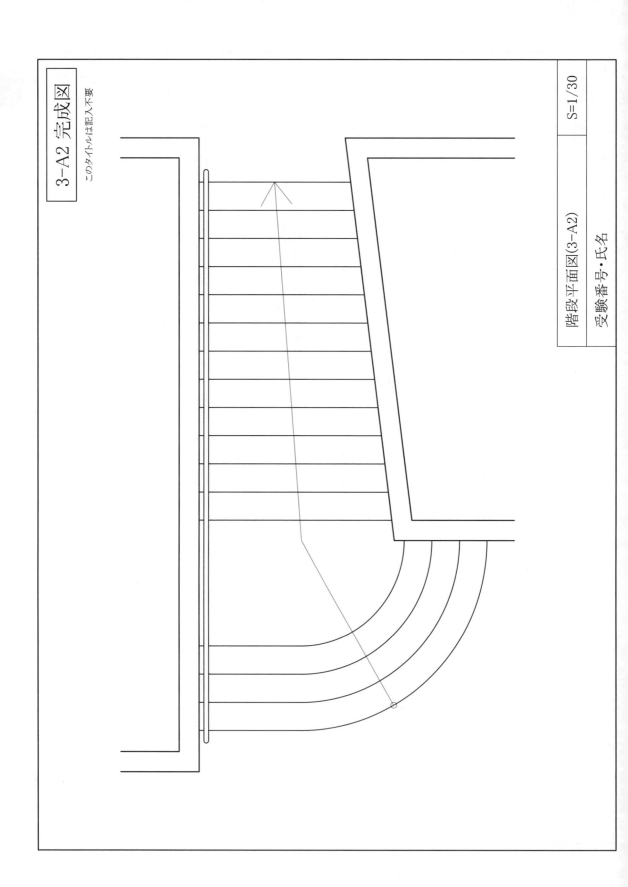

階段平面図(3-A2)

S=1/30

受験番号・氏名

3-A2 完成図

このタイトルは記入不要

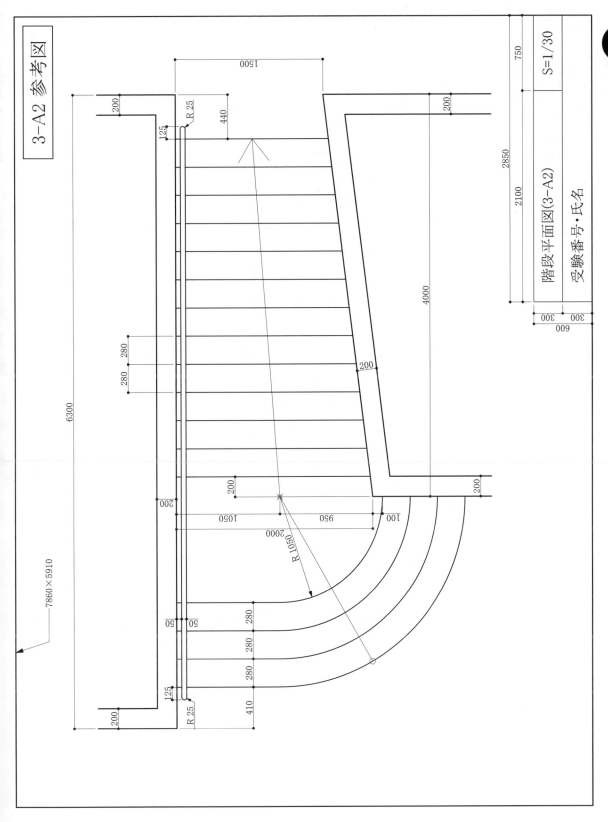

3-A2 参考図

階段平面図(3-A2)

受験番号・氏名

S=1/30

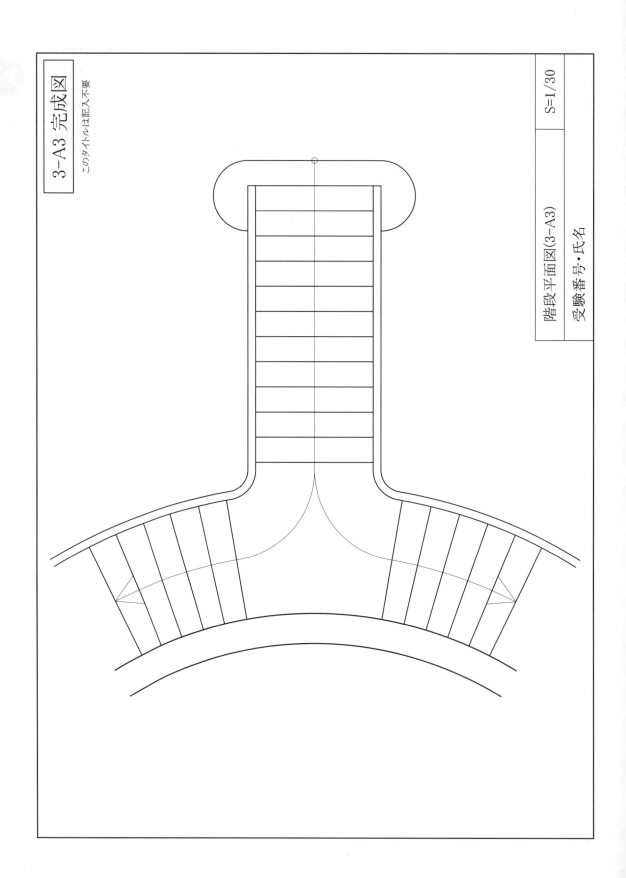

3-A3 完成図

このタイトルは記入不要

S=1/30

階段平面図(3-A3)

受験番号・氏名

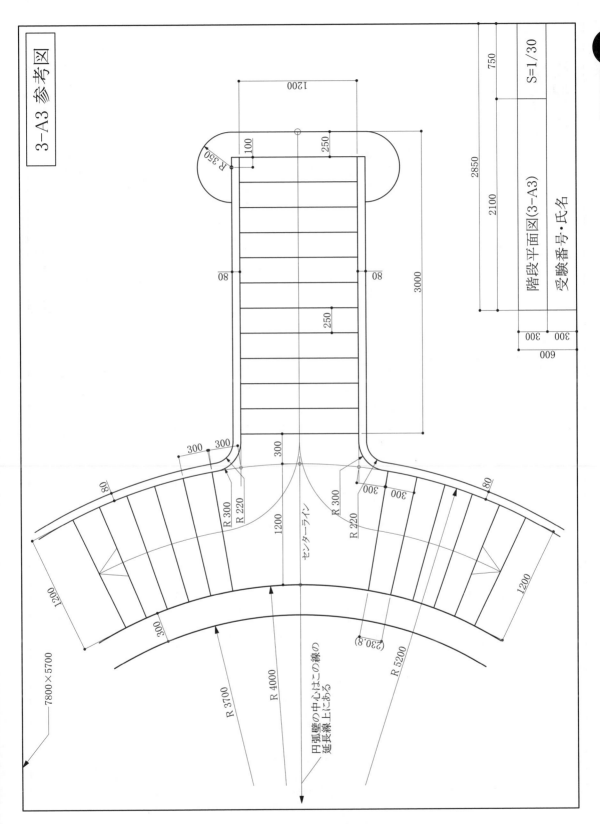

3-A3 参考図

1200

100

250

R 350

80

80

250

3000

300 300

300

300

R 300

R 300

R 220

R 220

80

80

1200

1200

1200

300

300

1200

（230.8）

センターライン

R 3700

R 4000

R 5200

円弧壁の中心はこの線の
延長線上にある

7800×5700

750

2850

2100

S=1/30

階段平面図（3-A3）

受験番号・氏名

300

300

600

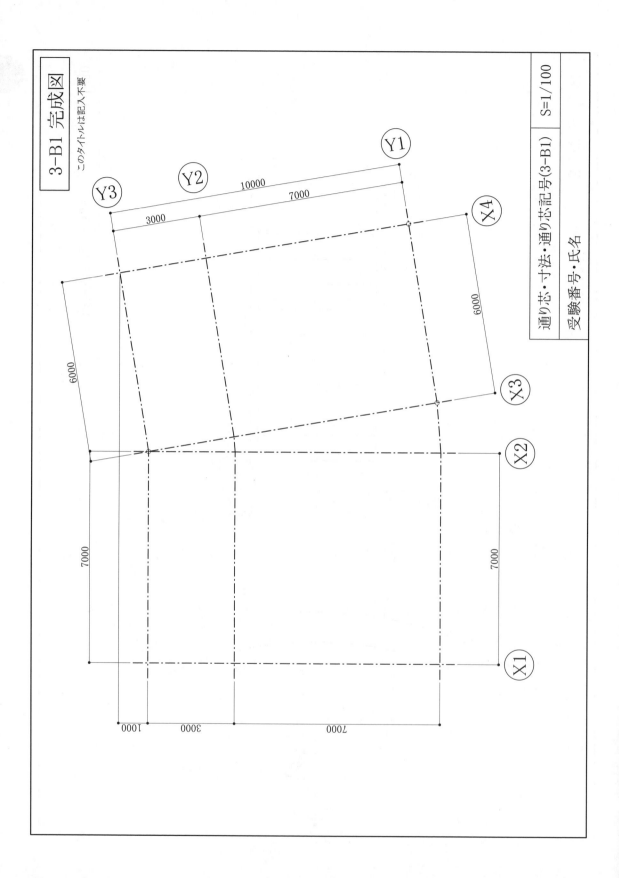

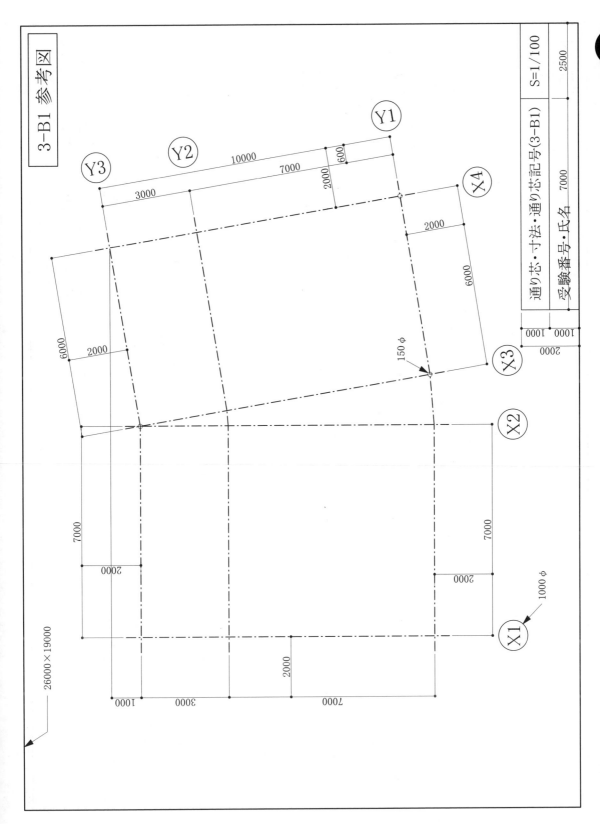

3-B1 参考図

Y1 Y2 Y3

X1 X2 X3 X4

10000
7000
3000
600
2000
2000
6000
2000
6000
2000
7000
2000
7000
2000
1000 3000 7000
150 φ
1000 φ
26000×19000

通り芯・寸法・通り芯記号(3-B1)		S=1/100
受験番号・氏名		

2500
7000
1000 1000
2000

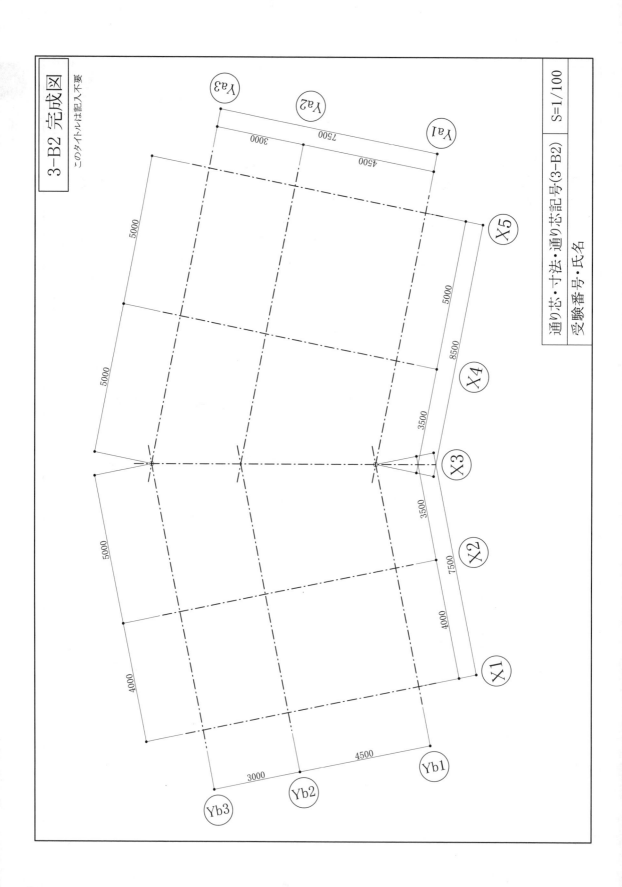

3-B2 完成図
このタイトルは記入不要

通り芯・寸法・通り芯記号(3-B2)　S=1/100

受験番号・氏名

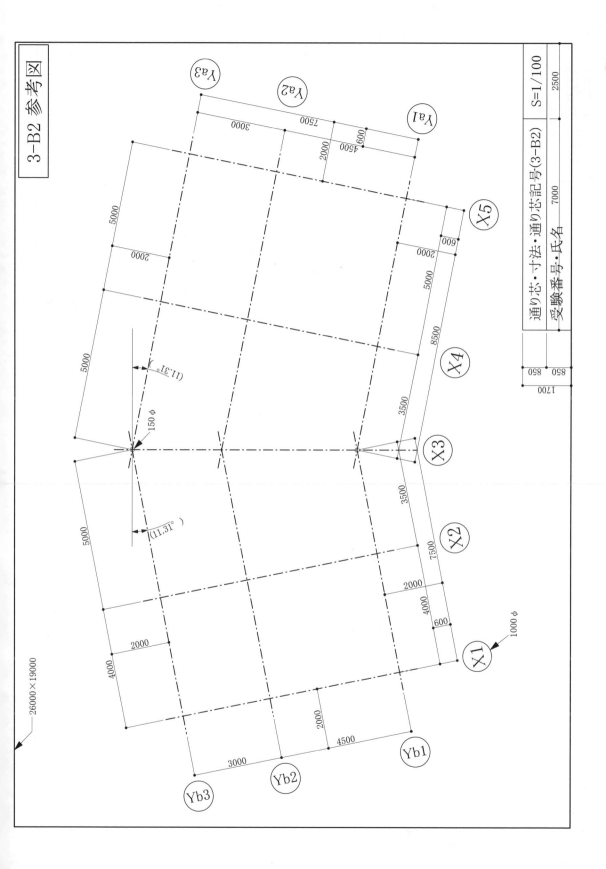

3-B2 参考図

通り芯・寸法・通り芯記号(3-B2)		S=1/100
受験番号・氏名		

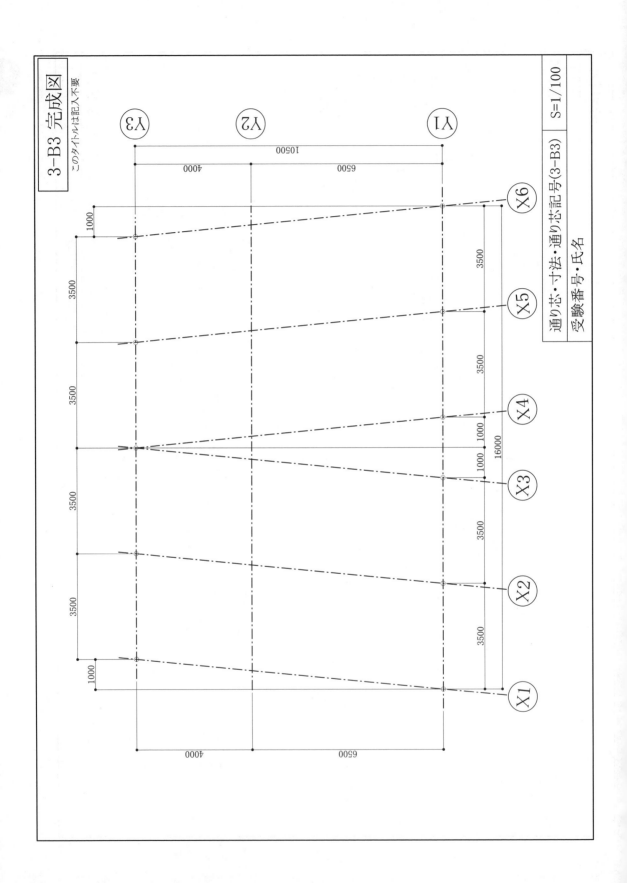

3-B3 完成図
このタイトルは記入不要

通り芯・寸法・通り芯記号(3-B3)　S=1/100

受験番号・氏名

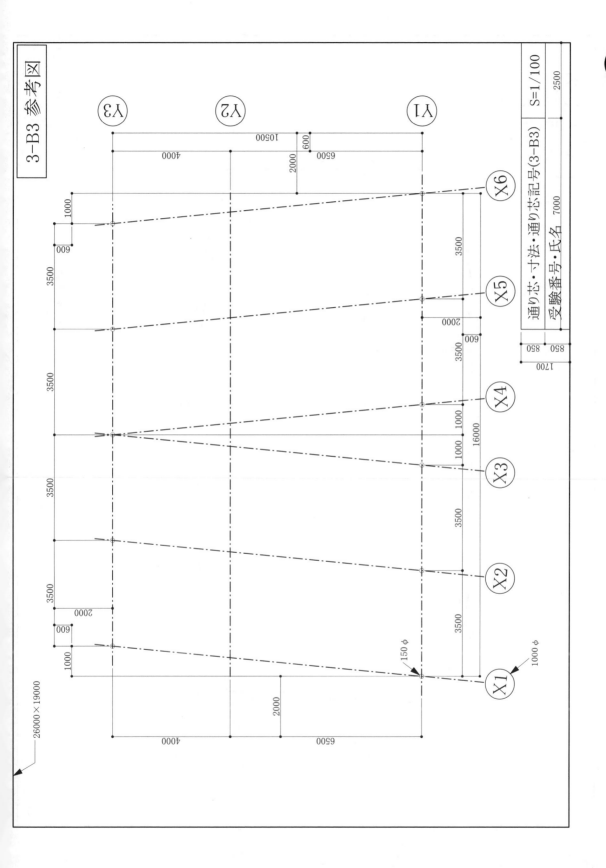

3-B3 参考図

通り芯・寸法・通り芯記号(3-B3)	S=1/100
受験番号・氏名	

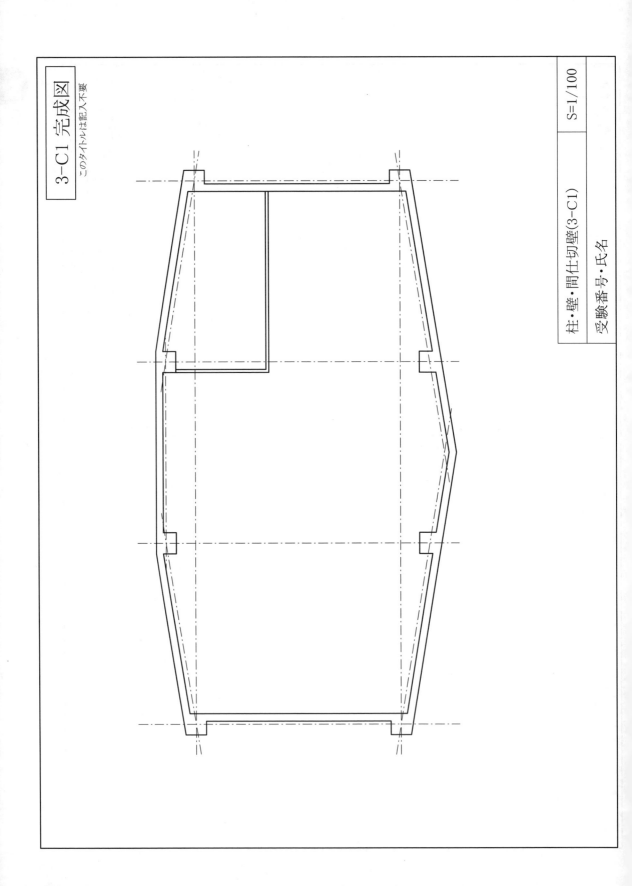

3-C1 完成図
このタイトルは記入不要

柱・壁・間仕切壁(3-C1)

受験番号・氏名

S=1/100

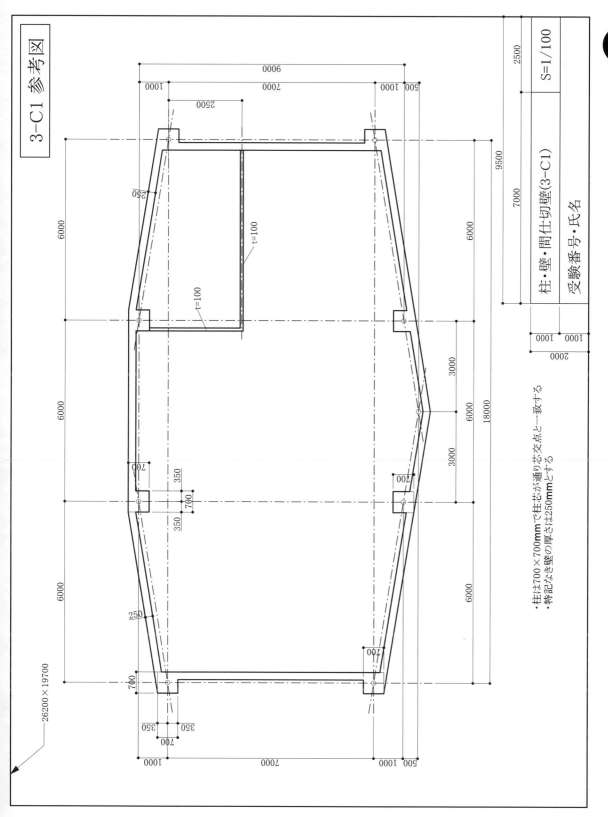

3-C1 参考図

26200×19700

S=1/100

柱・壁・間仕切壁(3-C1)

受験番号・氏名

・柱は700×700mmで柱芯が通り芯交点と一致する
・特記なき壁の厚さは250mmとする

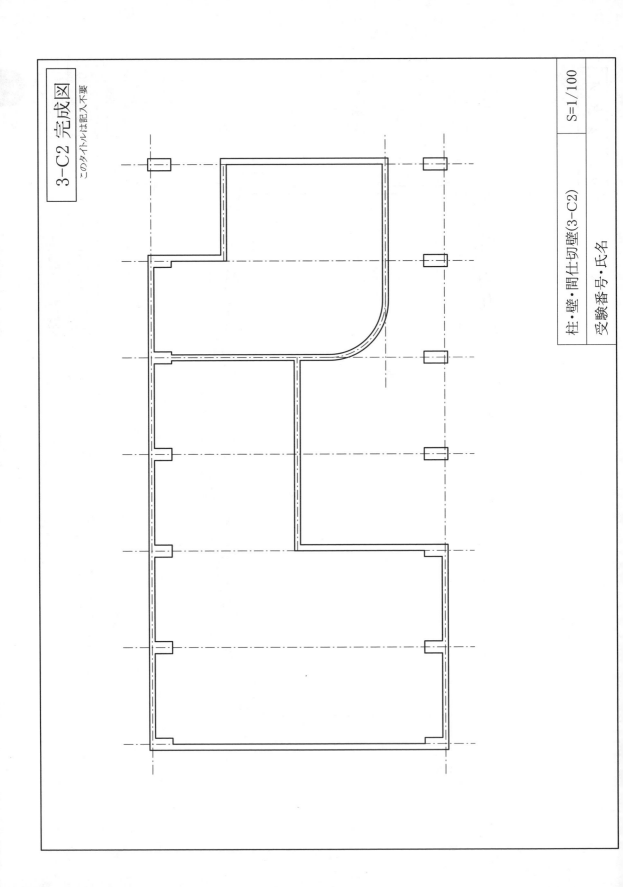

3-C2 完成図
このタイトルは記入不要

柱・壁・間仕切壁(3-C2)

S=1/100

受験番号・氏名

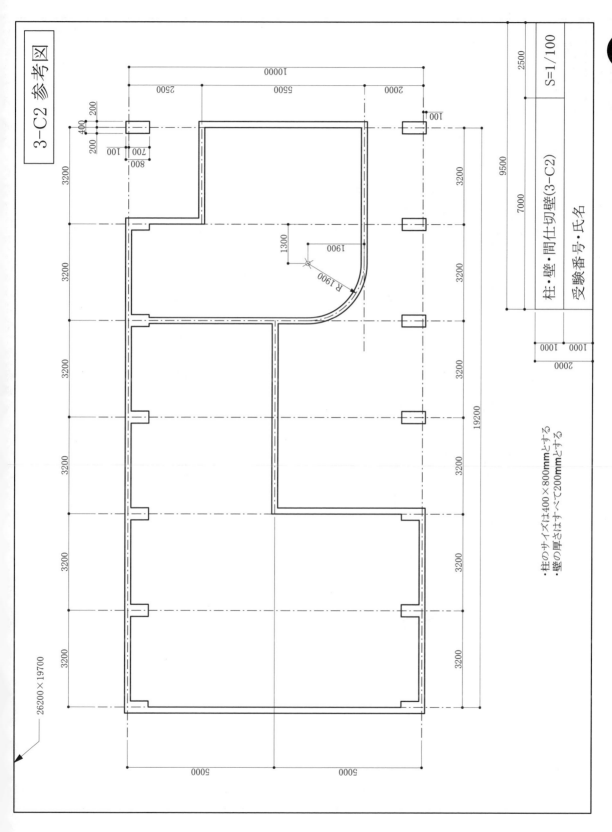

3-C2 参考図

26200×19700

・柱のサイズは400×800mmとする
・壁の厚さはすべて200mmとする

| 柱・壁・間仕切壁(3-C2) | | S=1/100 |
| 受験番号・氏名 | | |

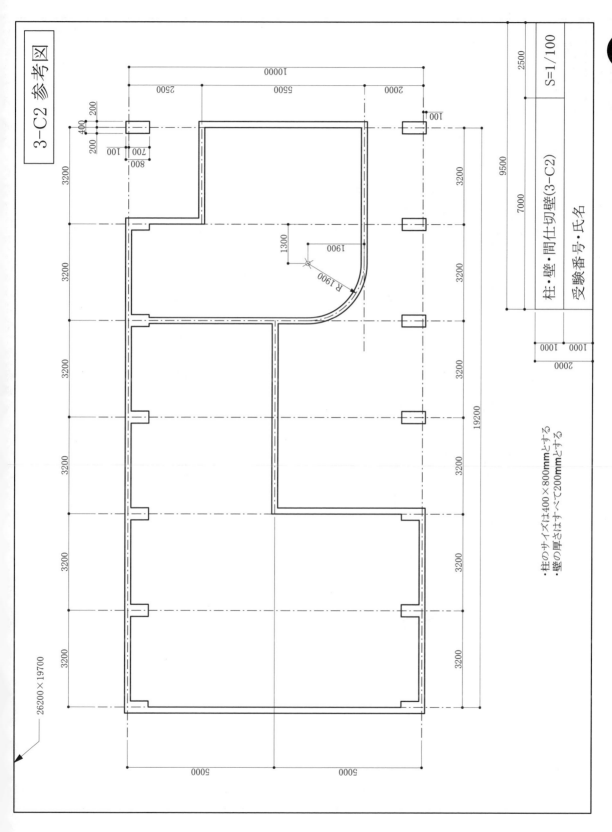

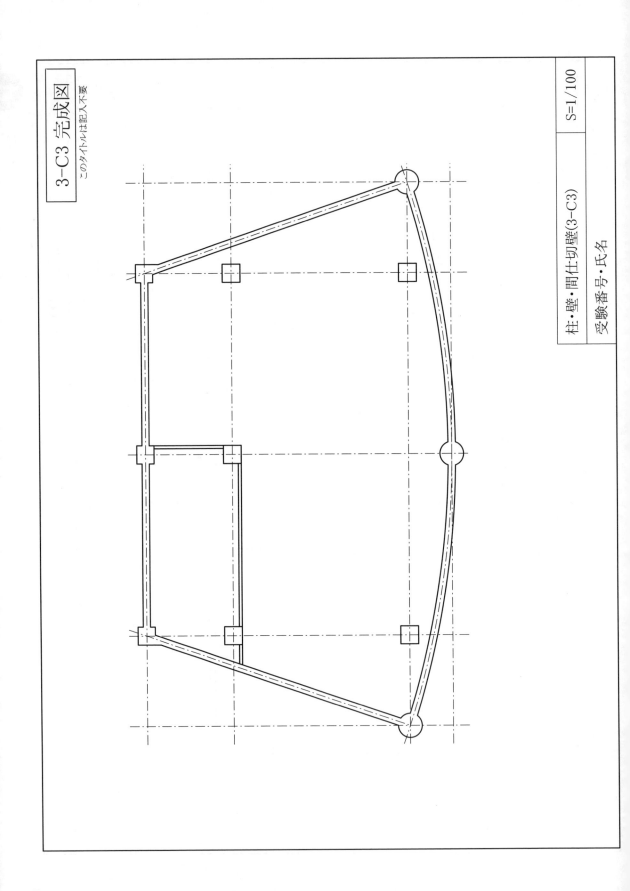

S=1/100

柱・壁・間仕切壁(3-C3)

受験番号・氏名

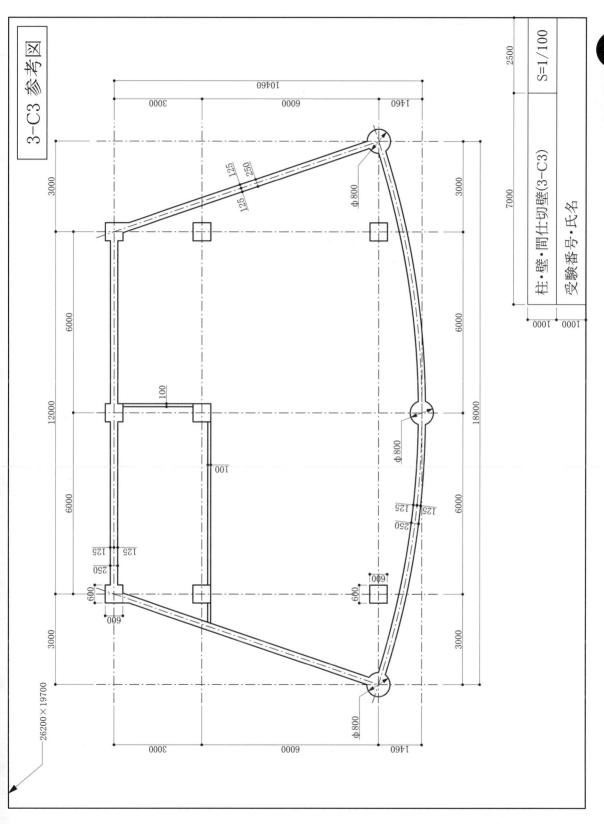

3-C3 参考図

柱・壁・間仕切壁(3-C3)

受験番号・氏名

S=1/100

壁と窓(3-D1)

受験番号・氏名

S=1/30

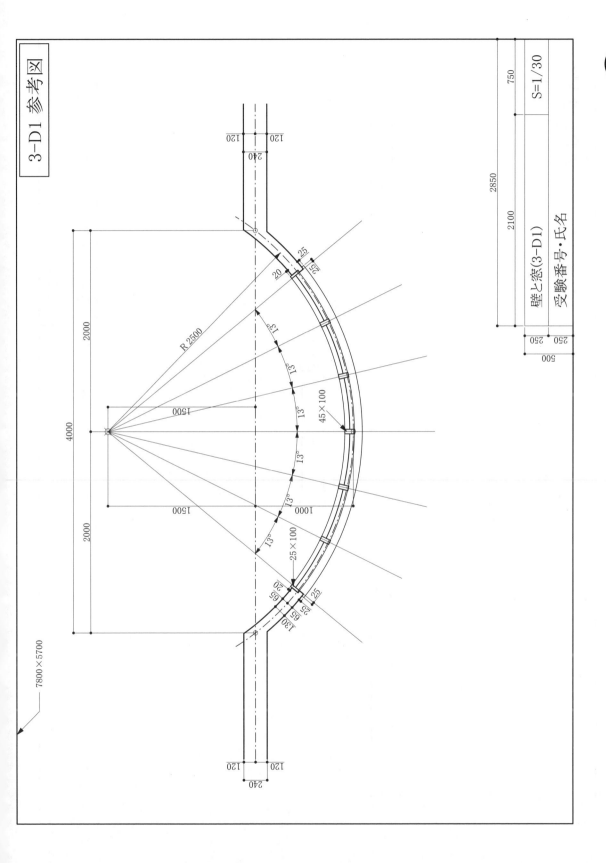

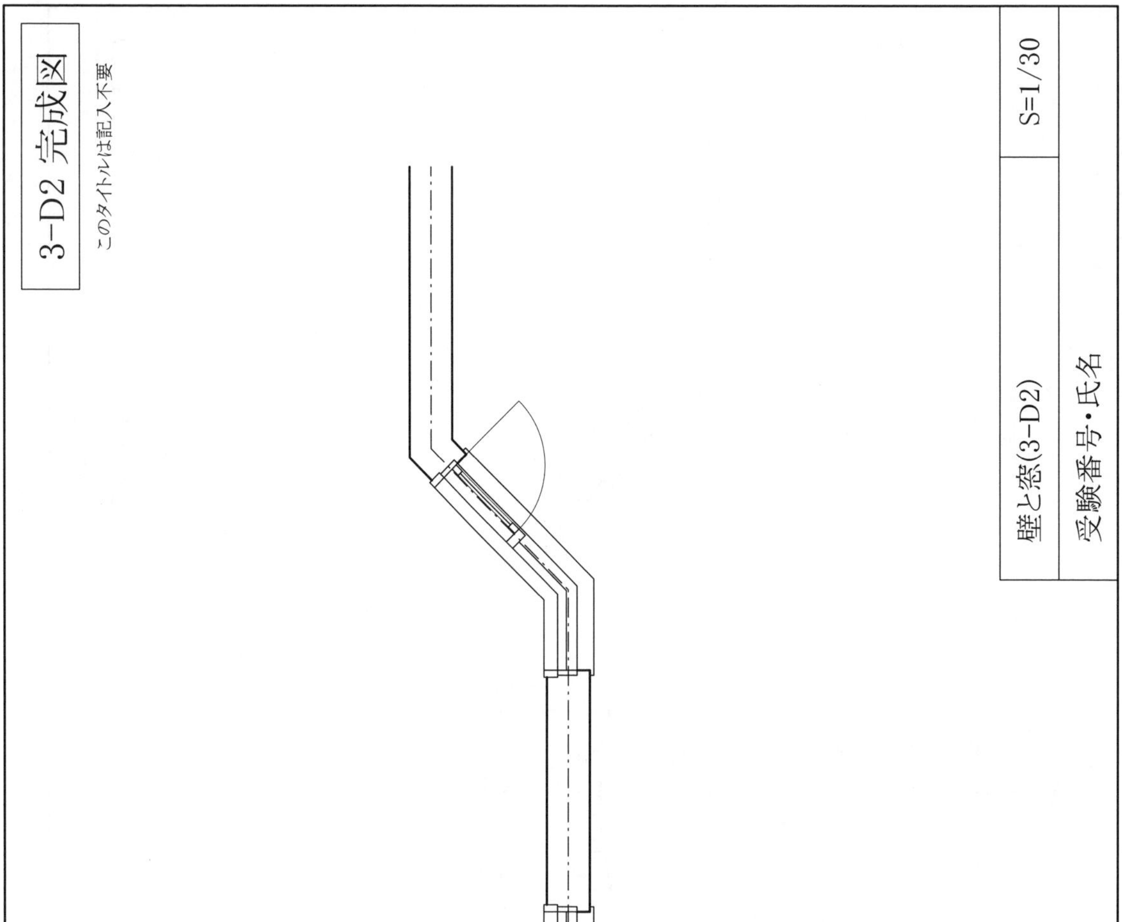

このタイトルは記入不要

壁と窓(3-D2)

受験番号・氏名

S=1/30

3-D2 参考図

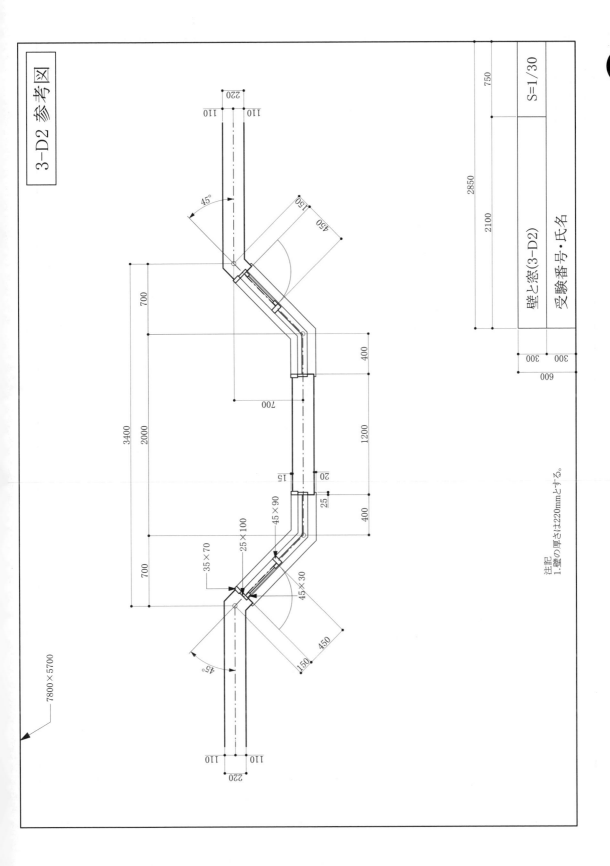

7800×5700

45°

220
110 110

150
450

700

3400

2000

700

400

700

45×90

1200

25×100

15

20

35×70

25

400

45×30

450

150

45°

110 110
220

壁と窓(3-D2)		
受験番号・氏名		

S=1/30

750

2850

2100

300 | 300
600

注記
1.壁の厚さは220mmとする。

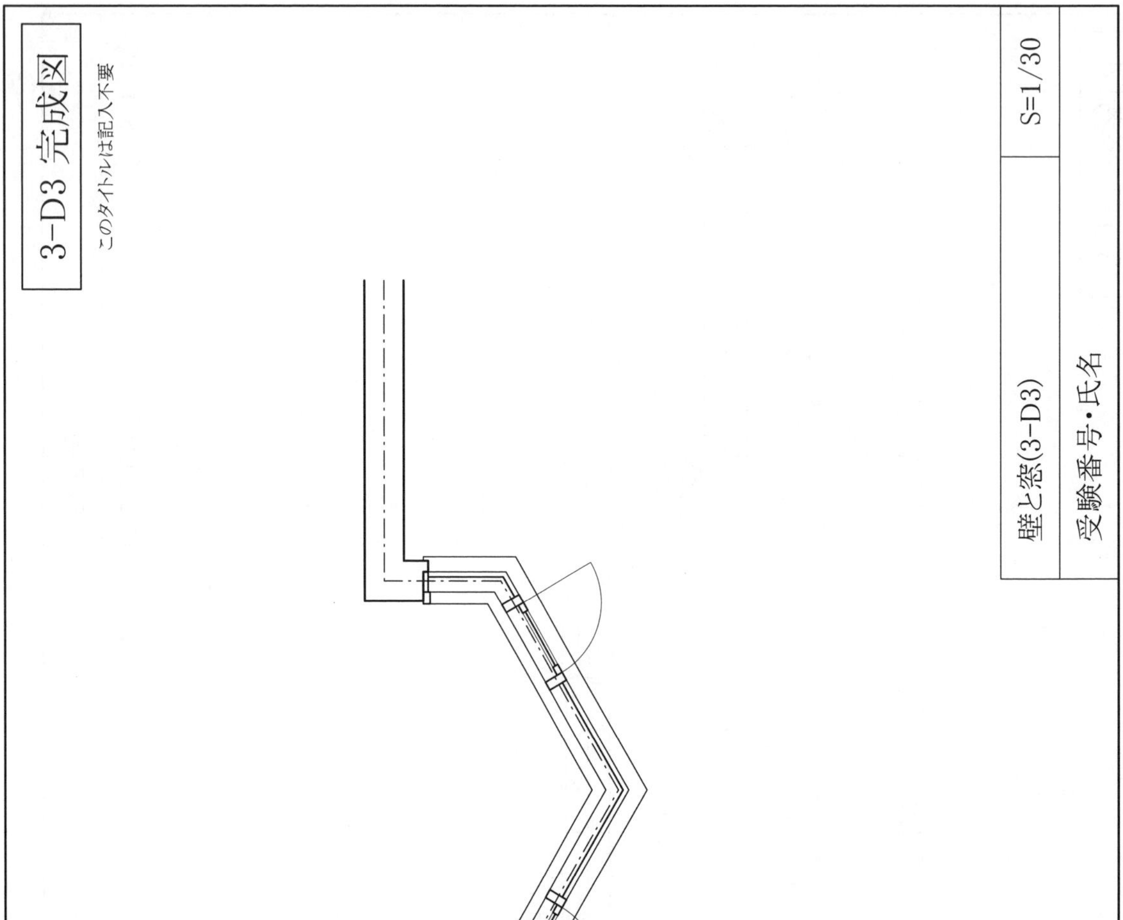

S=1/30

壁と窓(3-D3)

受験番号・氏名

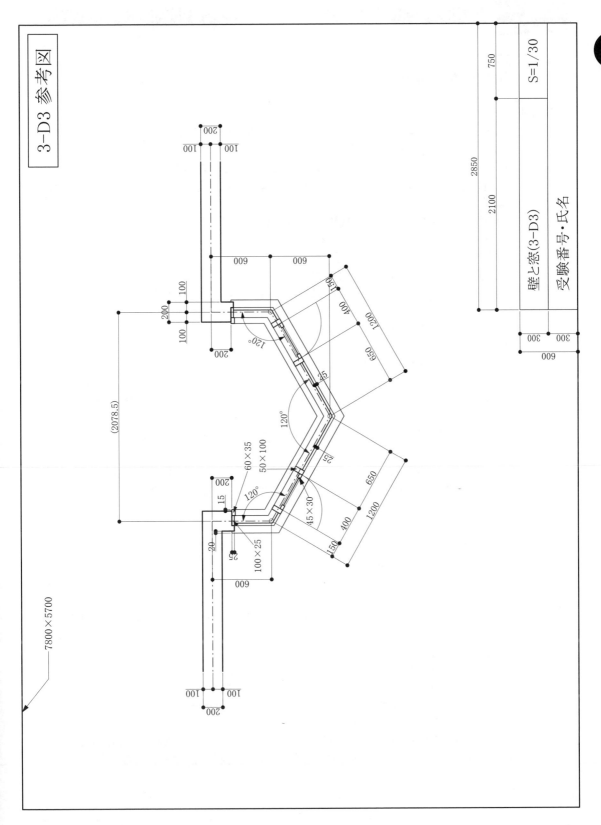

3-D3 参考図

S=1/30

壁と窓(3-D3)

受験番号・氏名

7800×5700

問題　1. 1階平面図をもとに1階の平面詳細図を縮尺1/50で作成せよ。
　　　2. 各図面をもとに南立面図を縮尺1/50で作成せよ。

補足説明
　1. 用紙サイズはA3判（横使い）とし、平面詳細図で1枚、立面図で1枚の計2枚を使う。
　2. 平面詳細図に記入するものは以下のとおりとする。
　　　・平面図（S＝1/100）にある壁や建具および自動車や設備機器などの形状。
　　　・平面図にある寸法。ただし壁の位置を示す寸法で、建物の外部にある寸法のみを記入すること。
　　　・平面図にある室名と「上部吹抜」という文字列。
　　　・ポーチ・玄関・デッキのハッチング。
　　　・図面タイトル「1階平面詳細図　S＝1/50」。
　3. 平面詳細図の図面密度は参考図程度とする。
　4. 各図面でサイズを指定していない部分は、適していると思われる位置／サイズで描くこと。
　5. 壁厚は構造体厚を100mm、仕上げ厚を25mm（両面で50mm）とし、合計150mmとする。
　6. サッシはアルミ製とし、見込み寸法は100mmとする。
　7. 平面図のサッシ部（および開口部）に記入してあるH＝1400（2100）の「1400」はサッシの高さで、（　）内の数値は床から測ったサッシ上端（開口上端）の高さである。
　　　W＝2580は幅を示す。なおサッシの幅と高さは躯体の開口寸法である
　8. 立面図に関する注意事項を以下に記す。
　　　・必ず記入しなければならないものはGL（地盤線）、基礎、壁、建具、屋根、デッキ、デッキ階段、床下換気口（400×150）、バルコニー手摺および図面タイトル「南立面図　S＝1/50」。
　　　・樋は記入しなくてよい。
　　　・屋根の棟の包み金物は記入しなくてよい。
　　　・寸法および屋根勾配は記入しなくてよい。
　　　・サッシの下枠が水切りを兼ねるものとする（水切りを別部材として描く必要はない）。
　9. 平面詳細図と立面図は直線、長方形、円弧、円、楕円を用いて描くこと。すなわちシンボル・部品図形・自動作図、ブロック、ライブラリなどの使用を禁じる（便器は楕円だけでもよい）。
　10. 2枚の図面の両方とも、受験番号と氏名を図面右下部分に記入すること。
　11. 平面詳細図と立面図のCADデータは別ファイルとする。
　12. 保存ファイル名は受験番号に平面詳細図：hei、立面図：rituを加えたものとする。（例：1234567hei，1234567ritu）。
　13. 監督者が指定するメディアに解答図面データ（2ファイル）を保存し、提出すること。なおいずれの1つでも解答図面データが無い場合は採点対象外になる。

解答例は065、066ページ

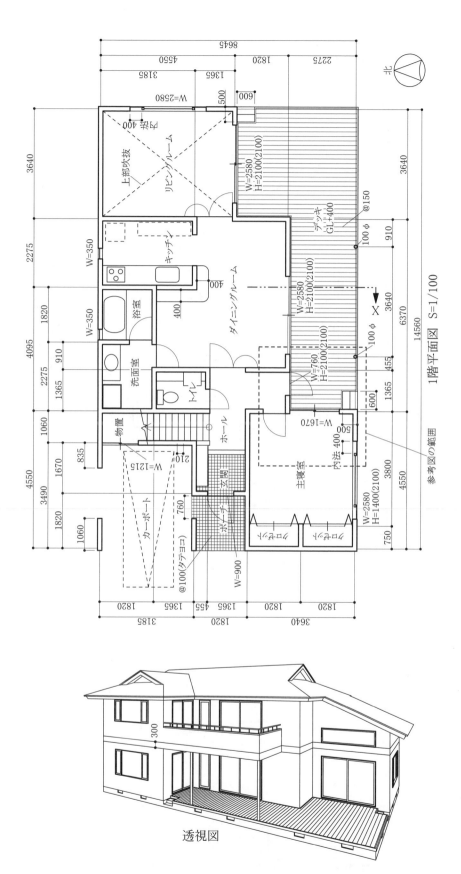

1階平面図 S=1/100

透視図

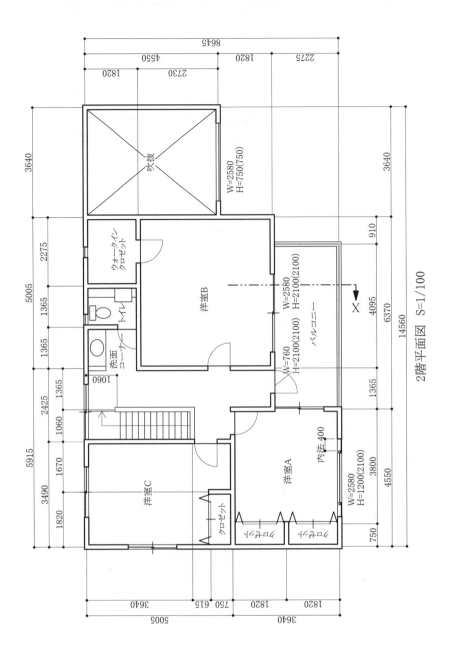

2階平面図 S=1/100

吹抜

W=2580
H=750(750)

ウォークイン
クロゼット

洋室B

W=2580
H=2100(2100)

トイレ

W=2100(2100)

W=760
H=2100(2100)

バルコニー

洗面
コーナー

洋室A

内法 400

洋室C

クロゼット

W=2580
H=1200(2100)

クロゼット

クロゼット

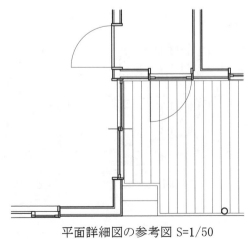

平面詳細図の参考図 S=1/50

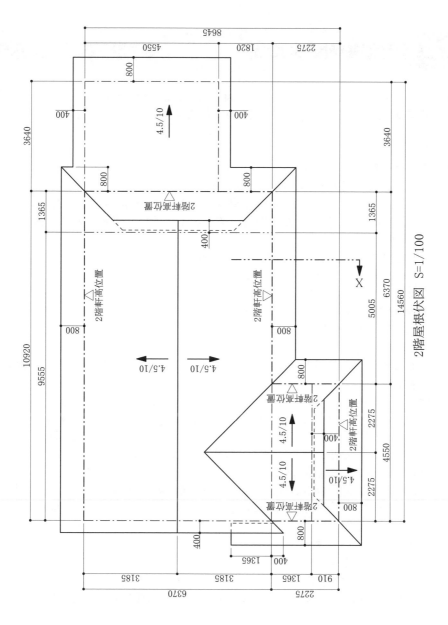

2階屋根状図 S=1/100

2階軒高位置

2階軒高位置

4.5/10

4.5/10

4.5/10

4.5/10

4.5/10

X

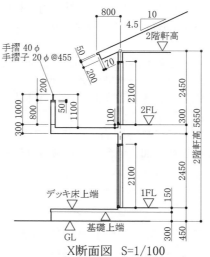

手摺 40 φ
手摺子 20 φ @455

2階軒高

2FL

2階軒高 5650

1FL

デッキ床上端

基礎上端

GL

X断面図　S=1/100

問題　1.　1階平面図をもとに1階の平面詳細図を縮尺1/50で作成せよ。
　　　2.　各図面をもとに南立面図を縮尺1/50で作成せよ。

補足説明
　1.　用紙サイズはA3判（横使い）とし、平面詳細図で1枚、立面図で1枚の計2枚を使う。
　2.　平面詳細図に記入するものは以下のとおりとする。
　　　・平面図（S＝1/100）にある壁や建具および自動車や設備機器などの形状。
　　　・平面図にある寸法。ただし壁の位置を示す寸法で、建物の外部にある寸法のみを記入すること。
　　　・平面図にある室名と「上部吹抜」という文字列。
　　　・ポーチ・玄関・デッキのハッチング。
　　　・図面タイトル「1階平面詳細図　S＝1/50」。
　3.　平面詳細図の図面密度は参考図程度とする。
　4.　各図面でサイズを指定していない部分は、適していると思われる位置/サイズで描くこと。
　5.　壁厚は構造体厚を100mm、仕上げ厚を25mm（両面で50mm）とし、合計150mmとする。
　6.　サッシはアルミ製とし、見込み寸法は100mmとする。
　7.　平面図のサッシ部（および開口部）に記入してあるH＝1400（2100）の「1400」はサッシの高さで、（　）内の数値は床から測ったサッシ上端（開口上端）の高さである。W＝3035は幅を示す。なおサッシの幅と高さは躯体の開口寸法である。
　8.　立面図に関する注意事項を以下に記す。
　　　・必ず記入しなければならないものはGL（地盤線）、基礎、壁、建具、屋根、デッキ、デッキ階段、床下換気口（400×150）、バルコニー手摺、および図面タイトル「南立面図　S＝1/50」。
　　　・樋は記入しなくてよい。
　　　・屋根の棟の包み金物は記入しなくてよい。
　　　・寸法および屋根勾配は記入しなくてよい。
　　　・サッシの下枠が水切りを兼ねるものとする（水切りを別部材として描く必要はない）。
　9.　平面詳細図と立面図は直線、長方形、円弧、円、楕円を用いて描くこと。すなわちシンボル・部品図形・自動作図、ブロック、ライブラリなどの使用を禁じる（便器は楕円だけでもよい）。
　10.　2枚の図面の両方とも、受験番号と氏名を図面右下部分に記入すること。
　11.　平面詳細図と立面図のCADデータは別ファイルとする。
　12.　保存ファイル名は受験番号に平面詳細図：hei、立面図：rituを加えたものとする。（例：1234567hei、1234567ritu）。
　13.　監督者が指定するメディアに解答図面データ（2ファイル）を保存し、提出すること。なおいずれの1つでも解答図面データが無い場合は採点対象外になる。

解答例は067、068ページ

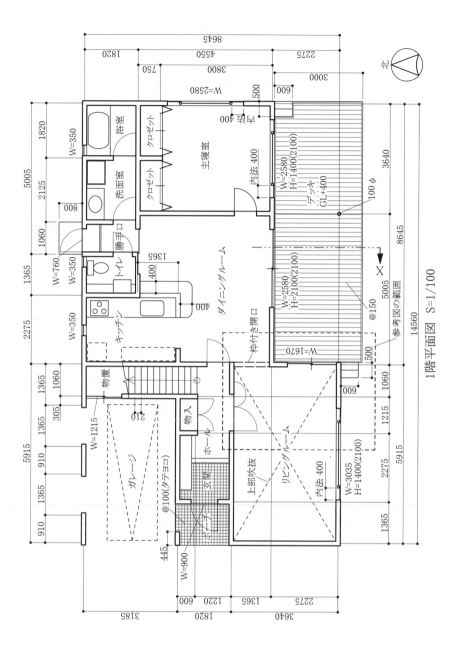

1階平面図 S=1/100

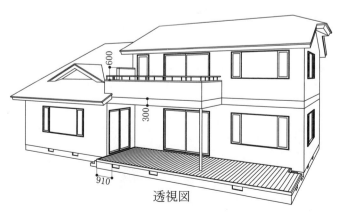

透視図

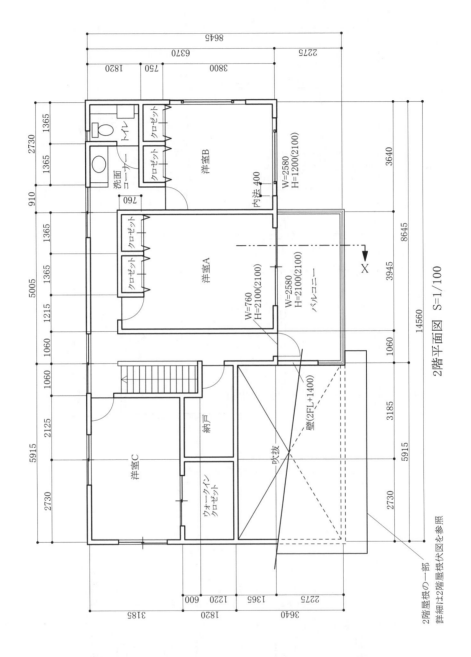

2階平面図 S=1/100

洋室B
クロゼット
クロゼット
トイレ
洗面
コーナー
洋室A
クロゼット
クロゼット
洋室C
納戸
ウォークイン
クロゼット
吹抜
バルコニー

W=2580
H=1200(2100)
内法 400
W=760
H=2100(2100)
W=2580
H=2100(2100)
壁(2FL+1400)

X

2階屋根の一部
詳細は2階屋根伏図を参照

8645
6370
1820 750 3800 2275
1365
1365
910
1365
1365
1215
1060
1060
2125
5005
5915
2730
2730
760
3640
8645
3945
14560
1060
3185
5915
2730

3185
1820 1220 600
3640
2275 1365
600

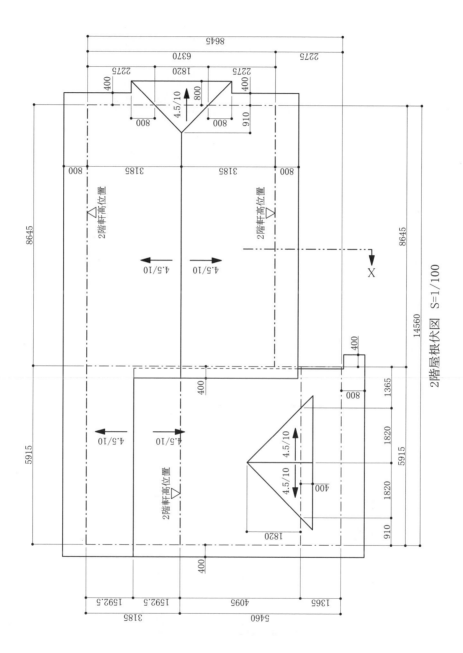

2階屋根伏図 S=1/100

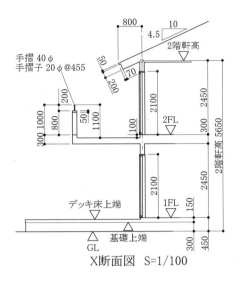

手摺 40 φ
手摺子 20 φ @455

800
10
4.5
2階軒高
50
70
200
2100
300 2450
2100 2FL
200
300 1000 800 50 1100 100
2階軒高 5650
300
2100 2450
1FL 150
デッキ床上端 基礎上端
GL
300 450

X断面図 S=1/100

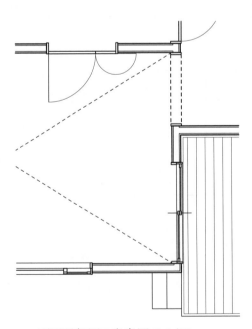

平面詳細図の参考図 S=1/50

III章

3級試験の解法例

　建築 CAD 検定試験はすべて実技試験です。3 級の試験は 4 問あり、それぞれ 2 枚（合計 8 枚）の図面が与えられます。そのうち「完成図」を CAD でトレースすればよいのですが、完成図だけでは図形のサイズなどが分かりません。このため「参考図」が用意されており、この参考図を見ながら CAD で図面を描きます。

　これから建築 CAD 検定試験 3 級で実際に使われた問題を例にして、CAD で描く手順を説明します。この章で使用する CAD は AutoCAD と Jw_cad で、最初は AutoCAD です。

1 試験に適した CAD

建築設計に使う CAD はいろいろありますが建築 CAD 検定試験には汎用 2 次元 CAD が適しています。これは試験問題が汎用 2 次元 CAD を使用するものとして問題が作られているからです。このため専用 CAD たとえば住宅用一貫設計 CAD や AutoCAD のカスタマイズソフトではかえって時間がかかってしまい不利になります。それに 2 級と准 1 級では専用 CAD の使用が禁止されています。なお 3 次元機能があっても 2 次元機能が充実しているソフト（たとえば Vectorworks や AutoCAD など）なら建築 CAD 検定試験に適しています。

トヤベのひとくちメモ！

テンプレートファイルについて

　AutoCAD などでテンプレートファイルを試験で使用してよいか、よく質問されます。これに対する回答は「図形が描かれているテンプレートファイルは禁止」です。すなわち図面範囲、線種、寸法スタイル、文字スタイルを設定したテンプレートファイルはかまいませんが、図面枠やタイトル枠が描いてあるテンプレートファイルは禁止です。もっとも図面枠／タイトル枠のサイズは毎回変わりますのでこれらを描いたテンプレートファイルは意味がありません。

2 建築 CAD 検定試験に 必要な CAD 知識

　建築 CAD 検定試験の3級と4級は2次元 CAD（以下 CAD と略す）の操作ができるかを問う試験です。2級は CAD の操作に加えて建築の知識が（わずかですが）あるかを問う試験です。いずれにしましても CAD の操作ができなければ試験に合格しません。

　CAD はバージョンアップするたびに機能が増えています。これらの機能をすべて使えればそれに越したことはありませんが、試験に合格するためにはそこまでは要求されません。一般の建築図面を正確に描けて、そのデータを保存できれば問題ありません。

　一般の建築図面を正確に描き保存するために必要な CAD 知識を並べてみます。

◆用紙と縮尺の知識
◆線の太さと線種の知識
◆数値入力とスナップに関する知識
◆図形の作成に関する知識
◆図形の編集に関する知識
◆寸法と文字の記入に関する知識
◆ファイルの保存に関する知識

　これら7項目のうち1つでも欠けていると建築の一般図を描くのは無理です。中でも数値入力とスナップは重要です。

②-01
数値入力とスナップ

　スナップのことを AutoCAD では「オブジェクトスナップ」、Jw_cad では「読み取り」と呼んでいるように CAD によって呼び方が異なりますが、本書では一般的な「スナップ」という言葉で説明します。

　数値入力は正確なサイズで図形を描いたり正確な編集に必要です。スナップは図形を正確な位置に描くときに使います。この 2 つの機能は CAD を CAD たらしめているもので、これが分かっていないと CAD を使えるとはいえません。建築 CAD 検定試験では解答の図面と正解の図面とを重ね合わせて採点します。このためいくら綺麗に描けていても図形のサイズや位置がいいかげんだと一目で見破られてしまいます。

②-02
図形の作成と編集

　図形の作成と編集は CAD の基本です。建築 CAD 検定試験で描く図面は直線・円弧・円・楕円の 4 種類の図形で構成されていますので、これらをきちんと描けるようにしてください。

　編集機能とは消去・移動・複写・反転などのことです。編集は CAD の威力がもっとも発揮されるところで、製図時間を短縮するだけでなくミスを減らすことにも役立ちます。試験では図面を早く描かねばなりませんが、早く描けるようにするには編集機能を練習するのが最も効果的です。

②-03
ファイルの保存

　ファイルの保存の操作そのものは簡単で、誰にでもできることですが、失敗が多いのがファイル保存です。ファイルを保存しないで CAD を終了させたり、大事なファイルを消去するといった失敗は誰にでも経験があります。さらに建築 CAD 検定試験、特に准一級試験には独特のルールがあり試験当日に知らされますが、これを聞き逃すという失敗もあります。試験でこのような失敗をすると致命的ですので決して甘くみないようにしてください。

3 斜め線の描き方

　4級試験の問題はほとんど水平／垂直線で構成された図面をトレースしますが、3級試験の問題では斜め線と円弧が多用されます。そこで斜め線と円弧の描き方に慣れておく必要がありますが、ここでは斜め線について説明します。

　試験問題の中で斜め線のサイズと方向の指定にはいろいろなパターンがあります。これを整理して並べてみます。

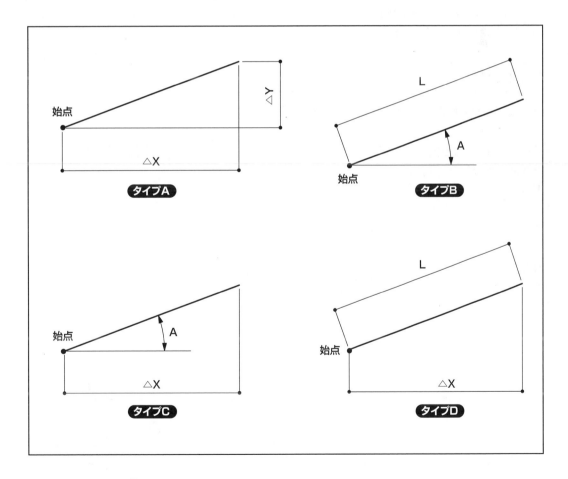

始点　△Y　△X　**タイプA**

L　A　始点　**タイプB**

始点　A　△X　**タイプC**

L　始点　△X　**タイプD**

　4つのタイプの描き方を AutoCAD と Jw_cad を例にして描き方を説明します。

③-01
タイプA

タイプAは△（デルタ）Xと△Yで指定するタイプです。すなわち相対座標による指定です。4タイプのうち最も一般的な指定方法です。ここでは△X = 2350、△Y = 850とします。

AutoCAD

❶【線分】ツールで任意の位置（始点）をクリックしてからコマンドウィンドウに< **@2350,850** >を入力する。もしダイナミック入力をオンにしているならカーソルそばのフィールドに< **2350,850** >を入力する。

❷【線分】ツールを終了する

「@△X, △Y」の「@」は相対座標で数値入力するときに付けますが、ダイナミック入力では「@」を省略できます。

Jw_cad

Jw_cadには相対座標で線を描く機能がないので点を使います

❶任意の位置に実点を描き、この実点を複写する。複写位置は「数値位置」に< **2350,850** >を入力して指定する

❷2つの実点を結ぶ線を描く

❸実点を消去する

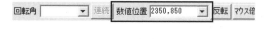

> **note**
> ここでは実点を使いましたが慣れた人なら仮点を使ったほうがよいでしょう。ただし仮点は複写できないので2点目の仮点も描きます。このときクロックメニューの【オフセット】を使用して2点目の位置を指定します。

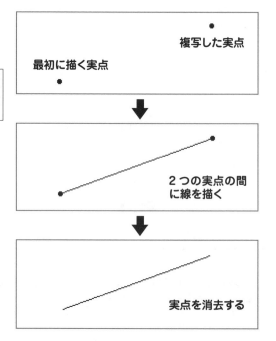

複写した実点

最初に描く実点

2つの実点の間に線を描く

実点を消去する

3 -02
タイプB

　タイプBは線の長さ（L）と角度（A）で指定するタイプです。すなわち相対極座標による指定です。ここではL = 2500、A = 20°とします。

AutoCAD

❶【線分】ツールで任意の位置（始点）をクリックしてからコマンドウィンドウに＜ @2500<20 ＞を入力する。もしダイナミック入力なら「@」を省略できる
❷【線分】ツールを終了する

「@L＜A」は相対極座標で数値入力するときの表記形式です。

Jw_cad

　Jw_cadは【線】コマンドのコントロールバーの「傾き」(角度)と「寸法」(長さ)に数値を入力します。

❶【線】コマンドをクリックし、コントロールバーの「傾き」に＜ 20 ＞°、「寸法」に＜ 2500 ＞mm を入力する
❷始点でクリックし、マウスを動かして描きたい方向にしてからクリックする

3 -03
タイプC

　タイプCは△Xと角度（A）で指定するタイプです。ここでは△X = 2350、A = 20°とします。

　△Xと角度で指定された線を直接描く方法はないので、先に角度を固定し、そのあと△Xに合わせます。次の手順は AutoCAD と Jw_cad で共通です。

❶角度 20°で適当な長さの線を描く

❶角度 20°で適当な長さの線を描く

❷始点に適当な長さの垂直線を描く
❸❷で描いた垂直線を 2350 移動する
❹移動した垂直線と❶で描いた線をコーナー処理する
❺垂直線を消去する

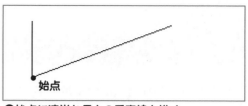

❷始点に適当な長さの垂直線を描く

❹のコーナー処理は AutoCAD で【フィレット】ツールを、Jw_cad は【コーナー】コマンドあるいは【包絡処理】コマンドを使います。

❸垂直線を△X（2350mm）移動する

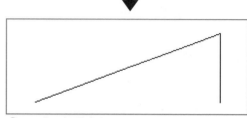

❹コーナー処理する

❺垂直線を消去する

❸-04
タイプD

タイプ D は△X と長さ(L) で指定するタイプです。ここでは△X = 2350、L = 2500 とします。
次の手順は AutoCAD と Jw_cad で共通です。

❶適当な長さ（やや長め）の垂直線を描く

❶垂直線を描く

❷❶で描いた垂直線を△ X（2350）の位置に複写する
❸ A 点を中心にして半径 2500 の円弧（または円）を描く
❹ A 点（端点）と B 点（交点）の間に線を描く
❺不要な線を消去する

❷垂直線を複写する

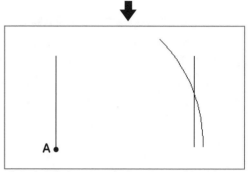

❸ A 点を中心にして半径 2500 の円弧（または円）を描く

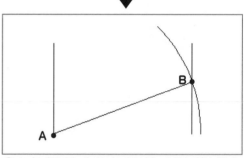

❹ A 点（端点）と B 点（交点）の間に線を描く

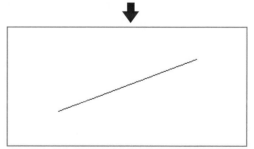

❺不要な線を消去する

4 3級試験の解法例①
AutoCADで「階段」図面をトレースする

　建築CAD検定試験はすべて実技試験です。3級の試験は4問あり、それぞれ2枚（合計8枚）の図面が与えられます。そのうち「完成図」をCADでトレースすればよいのですが、完成図だけでは図形のサイズなどが分かりません。このため「参考図」が用意されており、この参考図を見ながらCADで図面を描きます。

　これから建築CAD検定試験3級で実際に使われた問題を例にして、CADで描く手順を説明します。

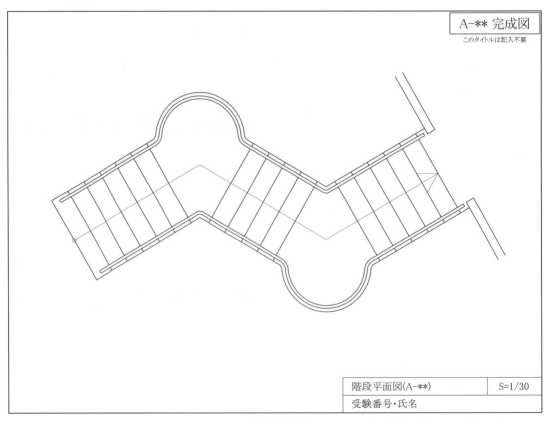

A-** 完成図
このタイトルは記入不要

階段平面図(A-**)	S=1/30
受験番号・氏名	

完成図

先に書いたように3級の問題はA〜Dの4問があり、Aは「階段平面図」です。下図の「階段平面図」は実際の試験に出されたものです。これからAutoCADで描く手順を説明しますが、本書はAutoCADの操作を説明する本ではないので、細かな説明は省きます。もしこれからの説明で分からないことが続出するようでしたら、AutoCADそのものを勉強する必要があります。 特に画面コントロール、オブジェクトスナップ、極トラッキング、直接距離入力はAutoCADの基本ですので、しっかり身に付けてから取り掛かってください。

3級の趣旨は「建築設計者の細かな指示があればCADで建築図面が描ける」というものです。この「細かな指示」として参考図が与えられます。

汎用CADで図面を描くとき、決まった手順というものはありません。それこそ人それぞれ違います。ですからこれから示す手順は筆者の方法で、この方法に従わなければならないというものではありません。ご自分の方法を作るための参考例として受け取ってください。

note

なお、ここで使用しているAutoCADのバージョンは2024です。基本的な手順はほかのバージョンでも同様ですが、一部画面や操作方法が異なる場合がありますので予めご了承ください。各バージョンのヘルプやマニュアルなどを参考にして適宜読み替えて操作してください。なおバージョン2022から【トリム】ツールと【延長】ツールが大きく変わりました。バージョン2021以前を使う場合は124ページの[note]をご覧ください。

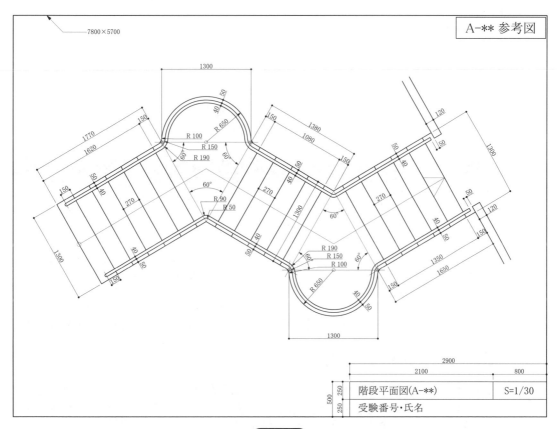

参考図

STEP 001　AutoCAD を起動

AutoCAD 2024の画面

❶ AutoCAD を起動する

note

建築CAD検定試験ではテンプレートファイルの使用を認めていますがテンプレートファイルに図形（図面枠など）が描いてある場合には不正となり失格になるので注意してください。すなわちテンプレートファイルには寸法スタイルと文字スタイルあるいは画層の設定ぐらいしか含められません。

STEP 002　画面の整理

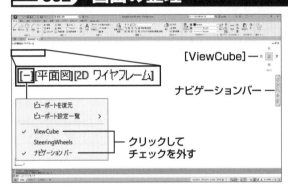

建築CAD検定試験で使わない機能を非表示にする（しなくてもよい）。

❶作図ウィンドウの左上にあるメニューの左端の[−]で[ViewCube]と[ナビゲーションバー]をクリックしてチェックを外す

note

[ViewCube]は3Dモデリングのときに便利ですが、うっかり触ると違う画面になりあわててしまいます。

STEP 003　[極トラッキング]と[オブジェクトスナップ]の設定

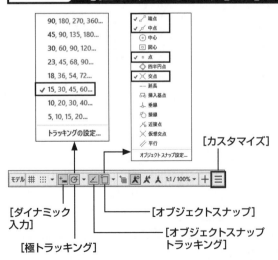

❶ステータスバーの[ダイナミック入力]［極トラッキング］［オブジェクトスナップトラッキング］［オブジェクトスナップ]の4機能をオンにする

❷ステータスバーの[極トラッキング]を右クリックし、メニューの【15,30,45,60...】をクリックする

❸[オブジェクトスナップ]を右クリックし、メニューで【端点】【中点】【点】【交点】をオンにして他をオフにする

note

[ダイナミック入力]が表示されてない場合は[カスタマイズ]をクリックしてツールリストを出し、[ダイナミック入力]をクリックして表示オンにしてください。

STEP 004　画層の準備

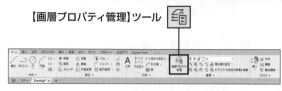

【画層プロパティ管理】ツール

画層(レイヤ)を準備します。

❶【画層プロパティ管理】ツールをクリックする
❷「画層プロパティ管理」パレットで必要な画層を
作成してからパレットを閉じる

note

どんな画層を作るかは自由ですが、ここでは次の5画層
を作っています。
「Center」画層 ……線の太さ=0.05mm(昇り記号)
「Line」画層………線の太さ=0.18mm(階段と手すり)
「Text」画 層………線の太さ=0.05mm(文字)
「W1」画層 ………線の太さ=0.25mm(用紙枠)
「W2」画層 ………線の太さ=0.09mm(タイトル枠)
※線種はすべて「Continuous」(実線)です。

STEP 005　図面枠(1)

【長方形】ツール　　【オブジェクト範囲】ツール

最初に図面枠を描きます。

❶「W1」画層を現在画層にする
❷【長方形】ツールをクリックする
❸作図ウィンドウの左下あたり(**A点**)をクリック
する
❹〈**7800,5700**〉を入力する

※入力するのは〈 〉の中身だけで両側の〈 〉は入力しま
せん。

❺【オブジェクト範囲】ツールをクリックする

※【オブジェクト範囲】ツールについてはSTEP 006の
「note」を参照してください。

「W1」画層

〈7800,5700〉を入力する

note

〈**7800,5700**〉は参考図に記されている数値です。こ
の数値は頻繁に変えているので注意してください。

STEP 006　図面枠(2)

クイックアクセスツールバー

前ステップの結果です。

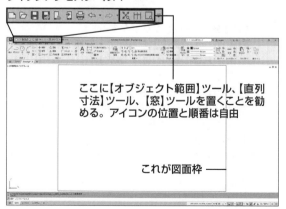

ここに【オブジェクト範囲】ツール、【直列
寸法】ツール、【窓】ツールを置くことを勧
める。アイコンの位置と順番は自由

これが図面枠

note

【オブジェクト範囲】ツールは[ホーム]タブになく他のタブ
にあります。しかしこのツールは頻繁に使うため[ホーム]
タブでも使えるようにクイックアクセスツールバーに置い
ておくことをお勧めします。他に【窓】ツール、【直列寸法
記入】ツールを置いておけば建築CAD検定試験の解答図
面を[ホーム]タブだけで描けます。
クイックアクセスツールバーにツールを追加するには[管
理]タブの【ユーザインターフェース】ツールを用いるのが
標準の方法です。詳しくはAutoCADのヘルプで検索して
ください。

3級試験の解法例

STEP 007 タイトル枠（1）

【長方形】ツール

「W2」画層

これがタイトル枠

A

タイトル枠のサイズも頻繁に変わる

タイトル枠を描きます。

❶「W2」画層を現在画層にする
❷【長方形】ツールをクリックする
❸A点（端点）をクリックする
❹〈-2900,500〉を入力する

STEP 008 タイトル枠（2）

【線分】ツール

A ● ● B

タイトルの欄の線を描きます。

❶前ステップで描いたタイトル枠のあたりを拡大
表示する
❷【線分】ツールをクリックする
❸A点（中点）→B点（中点）をクリックして線を
描く

STEP 009 タイトル枠（3）

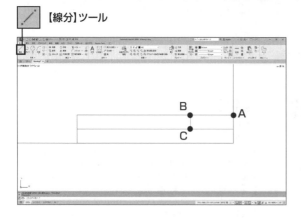

【線分】ツール

B
● ● A
C

引き続きタイトルの欄の線を描きます。

❶【線分】ツールをクリックする
❷A点にカーソルを合わせて一呼吸おいてから左
水平方向にカーソルを動かす
※A点ではクリックしません。
❸〈800〉を入力してB点を確定
❹カーソルをB点の真下方向に動かし、C点（交
点）をクリックする
❺ スペース キーを押す（ツール終了）
※❷と❸ではステータスバーの［オブジェクトスナップト
ラッキング］の機能を利用しています。

STEP 010　基準点（1）

【点スタイル管理】ツール

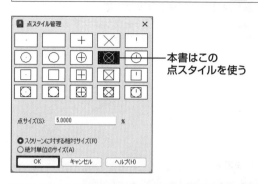

← 本書はこの
　点スタイルを使う

次ステップで使う「点」のスタイルを設定します。

❶図面枠の全体が見えるようにする
❷［ホーム］タブの［ユーティリティ］パネルにある
　【点スタイル管理】ツールをクリックする
❸「点スタイル管理」ダイアログで使用したい点ス
　タイルをクリックしてから OK をクリックする
❹パレットを閉じる

STEP 011　基準点（2）

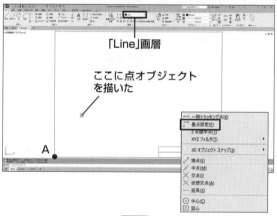

「Line」画層

ここに点オブジェクト
を描いた

A

Shift キー＋右クリックメニュー

基準になる位置に点を描きます。
❶「Line」画層を現在画層にする
❷キーボードから〈po〉を入力する
※「po」は【点、単一点】ツールを起動するコマンドです。
❸Shift キーを押しながら右クリックし、メニュー
　の【基点設定】をクリックする
❹A点（図面枠の左下の端点）をクリックしてから
　〈@1300,1900〉を入力する

> **note**
>
> 座標の頭に付けた「@」は相対座標を意味します。図形
> を作成するときは「@」を省略できますが【基点設定】
> ツールでは「@」を省略できません。

> **note**
>
> 点の位置（@1300,1900）は図面にスケールを当てて調
> べたおおよその位置です。

STEP 012　階段の外形線（1）

【長方形】ツール

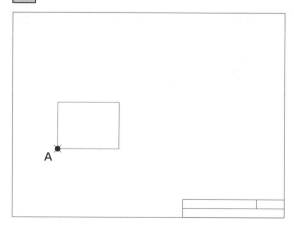

A

階段の外形線を描き始めます。

❶【長方形】ツールをクリックする
❷A点（点オブジェクト）をクリックしてから
　〈1770,1300〉を入力する
❸スペース キーを押す（ツール終了）

STEP 013　階段の外形線（2）

【回転】ツール

長方形を回転します。

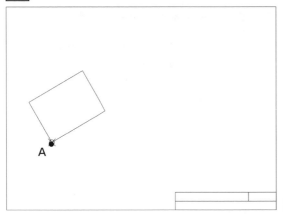

回転後の図

❶前ステップで描いた長方形をクリックして選択する
❷【回転】ツールをクリックする
❸A点（点オブジェクト）をクリックする
❹〈30〉を入力する（回転角度）

STEP 014　階段の外形線（3）

【長方形】ツール

引き続き階段外形線を描きます。

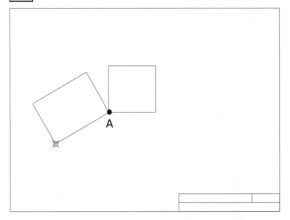

❶【長方形】ツールをクリックする
❷A点（端点）をクリックする
❸〈1380,1300〉を入力する

STEP 015　階段の外形線（4）

【回転】ツール

長方形を回転します。

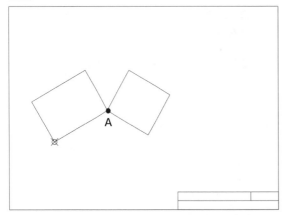

❶前ステップで描いた長方形をクリックして選択する
❷【回転】ツールをクリックする
❸A点（端点）をクリックする（回転中心）
❹〈-30〉を入力する（回転角度）

STEP 016　階段の外形線（5）

 【長方形】ツール

引き続き階段外形線を描きます。

❶【長方形】ツールをクリックする
❷A点（端点）をクリックする
❸〈1650,-1300〉を入力する

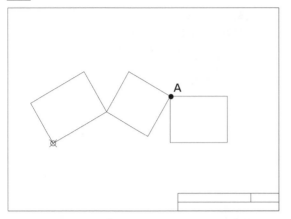

STEP 017　階段の外形線（6）

 【回転】ツール

長方形を回転します。

❶前ステップで描いた長方形をクリックして選択する
❷【回転】ツールをクリックする
❸A点（端点）をクリックする（回転中心）
❹〈30〉を入力する（回転角度）

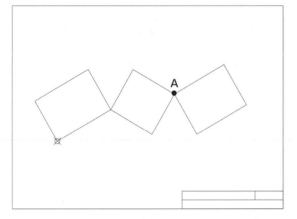

STEP 018　階段の外形線（7）

 【分解】ツール

この後の処理のために長方形を分解します。

❶3つの長方形をクリックして選択する
❷【分解】ツールをクリックする（分解の実行）
　※【分解】ツールはリボンの［修正］パネルにあります。

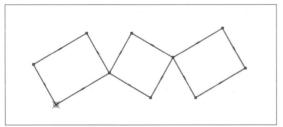

3つの長方形を選択したところ

note

長方形（ポリライン）を分解しても外観は変わりません。しかしカーソルを辺に近づけてしばらく待つとロールオーバーツールチップが現れて「線分」に変わっていることが分かります。

ロールオーバー
ツールチップ

III

3級試験の解法例

STEP 019 円弧の外形線（1）

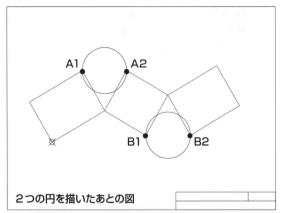
【円】ツール

２つの円を描いたあとの図

円弧型の踊り場のために円を描きます。

❶【円】ツールをクリックする
❷〈**2p**〉を入力する（2点円）
❸**A1**点（端点）→**A2**点（端点）をクリックする
❹[スペース]キーを押す（ツール再開）
❺〈**2p**〉を入力する（2点円）
❻**B1**点（端点）→**B2**点（端点）をクリックする

 STEP 020 円弧の外形線（2）

【トリム】ツール

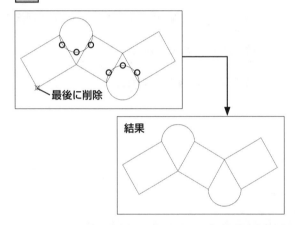
最後に削除

結果

円の不要部を切り取ります。

❶【トリム】ツールをクリックする
❷○を付けたあたりをクリックする（6カ所）
❸[スペース]キーを押す（ツール終了）
❹最後に点オブジェクトを削除する

 STEP 021 階段の段板線（1）

【オフセット】ツール

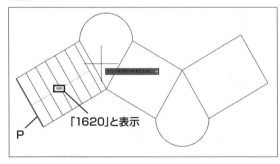
「1620」と表示
P

階段の段板線を生成します。

❶【オフセット】ツールをクリックする
❷〈**270**〉を入力する（間隔）
❸**P**線をクリックする
❹〈**m**〉を入力する（一括）
❺**P**線の右上側を数回クリックして「1620」と表示されたら最後のクリックをする
❻[スペース]キーを2回押す（ツール終了）

結果は次図を参照してください。

STEP 022 階段の段板線（2）

 【オフセット】ツール

続けて階段の段板線を生成します。

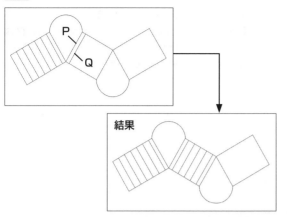

❶【オフセット】ツールをクリックする
❷〈**150**〉を入力する（間隔）
❸**P**線をクリックする
❹**P**線の右下をクリックする
❺ スペース キーを2回押す（ツール終了と再開）
❻〈**270**〉を入力する（間隔）
❼**Q**線をクリックする
❽〈**m**〉を入力する（一括）
❾**Q**線の右下側を数回クリックして「1080」と表示
　されたら最後のクリックをする
❿ スペース キーを2回押す（ツール終了）

STEP 023 階段の段板線（3）

【オフセット】ツール

続けて階段の段板線を生成します。

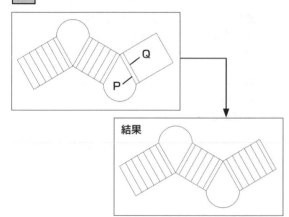

❶【オフセット】ツールをクリックする
❷〈**150**〉を入力する（間隔）
❸**P**線をクリックする
❹**P**線の右上をクリックする
❺ スペース キーを2回押す（ツール終了と再開）
❻〈**270**〉を入力する（間隔）
❼**Q**線をクリックする
❽〈**m**〉を入力する（一括）
❾**Q**線の右上側を数回クリックして「1350」と表示
　されたら最後のクリックをする
❿ スペース キーを2回押す（ツール終了）

STEP 024 階段の段板線（4）

不要な線を削除します。

❶×を付けた線を削除する（4本）

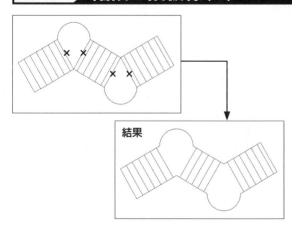

III

3級試験の解法例

STEP 025 　壁手すり（1）

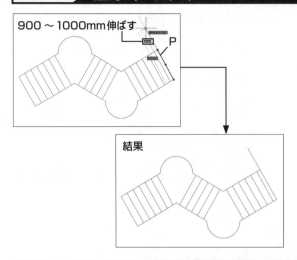

900～1000mm伸ばす

P

結果

上階の壁手すりを描きはじめます。

❶P線をクリックして選択する
❷図のように上側のグリップをドラッグし、**P**線を900～1000mm引き伸ばす（ストレッチする）
❸ Esc キーを押す（選択解除）

STEP 026 　壁手すり（2）

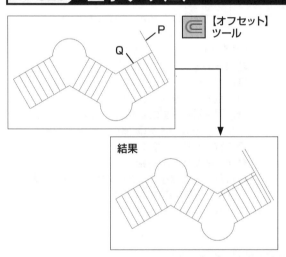

P

Q

【オフセット】ツール

結果

壁手すり（t=120）を生成します。

❶【オフセット】ツールをクリックする
❷〈**120**〉を入力する（間隔）
❸**P**線をクリックしてから**P**線の右側をクリックする
❹ スペース キーを2回押す（ツール終了と再開）
❺〈**90**〉を入力する（間隔）
❻**Q**線をクリックしてから**Q**線の下側をクリックする
❼ スペース キーを押す（ツール終了）

STEP 027 　壁手すり（3）

【フィレット】ツール

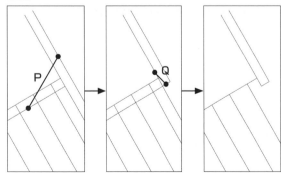

P

Q

結果

壁手すりを仕上げます。

❶上階部分を拡大表示する（図参照）
❷【フィレット】ツールをクリックする
❸〈**r**〉を入力する（半径）
❹〈**0**〉（半径＝0mm）を入力する
❺**P**線で結んだ2線をクリックする
❻ スペース キーを押す（ツール再開）
❼**Q**線で結んだ2線をクリックする

STEP 028 壁手すり（4）

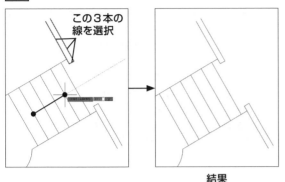

【鏡像】ツール

この3本の
線を選択

結果

壁手すりをミラーコピーする。

❶図に示す3本の線を選択する
❷【鏡像】ツールをクリックする
❸2本の段板線の中点をクリックする
❹〈n〉を入力する（no＝コピー）

STEP 029 踊り場

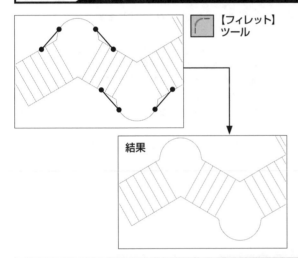

【フィレット】
ツール

結果

踊り場に丸面取りをほどこします。

❶階段全体が見えるようにする
❷【フィレット】ツールをクリックする
❸〈r〉を入力し、〈100〉を入力する（半径＝100）
❹〈m〉を入力する（複数）
❺線で結んだ●をクリックする（4組）
❻ スペース キーを押す（ツール終了）

STEP 030 手すりの準備（1）

 【ポリライン編集】ツール

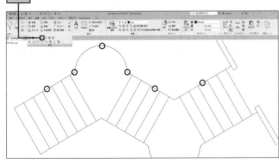

手すりを生成する前に階段外形線をポリライン
に変換します。

❶【ポリライン編集】ツールをクリックする
❷〈m〉を入力する（一括）
❸○を付けた線分と円弧をクリックして選択する
　（6カ所）
❹ スペース キーを押す（選択確定）
❺〈y〉を入力する（ポリラインに変換）
❻〈j〉を入力する（結合）
❼ スペース キーを押す（許容距離＝0）
❽ スペース キーを押す（ツール終了）

ポリライン

ポリラインに変換しても外観
に変化はない。しかしカーソ
ルを重ねるとハイライト表示
（太線）になり「ポリライン」と
表示される

STEP 031　手すりの準備（2）

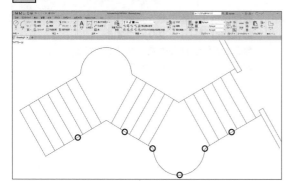

【ポリライン編集】ツール

反対側の外形線をポリラインに変換します。

❶【ポリライン編集】ツールをクリックする
❷〈m〉を入力する（一括）
❸○を付けた線分と円弧をクリックして選択する
　（6カ所）
❹ スペース キーを押す（選択確定）
❺〈y〉を入力する（ポリラインに変換）
❻〈j〉を入力する（結合）
❼ スペース キーを押す（許容距離＝0）
❽ スペース キーを押す（ツール終了）

STEP 032　手すり（1）

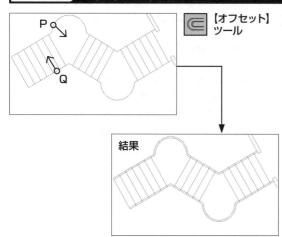

P

Q

結果

【オフセット】
ツール

手すりの片側の線を生成します。

❶【オフセット】ツールをクリックする
❷〈50〉を入力する（間隔）
❸Pポリラインをクリックしてから階段の内側を
　クリックする
❹Qポリラインをクリックしてから階段の内側を
　クリックする
❺ スペース キーを押す（ツール終了）

STEP 033　手すり（2）

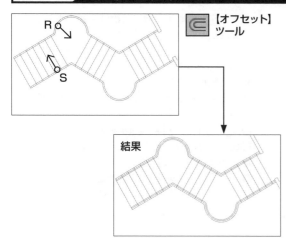

R

S

結果

【オフセット】
ツール

手すりを生成します。

❶【オフセット】ツールをクリックする
❷〈40〉を入力する（間隔）
❸Rポリラインをクリックしてから階段の内側を
　クリックする
❹Sポリラインをクリックしてから階段の内側を
　クリックする
❺ スペース キーを押す（ツール終了）

STEP 034　手すりを丸面取り（1）

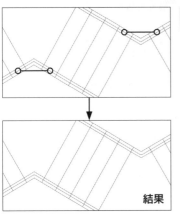

結果

【フィレット】ツール

手すりの丸面取りをします。

①階段の中間部を拡大表示する
②【フィレット】ツールをクリックする
③〈r〉を入力し、〈50〉を入力する（半径＝50）
④〈m〉を入力する（複数）
⑤線で結んだ○をクリックする（2組）
⑥スペースキーを押す（ツール終了）

STEP 035　手すりを丸面取り（2）

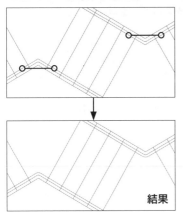

結果

【フィレット】ツール

続けて手すりの丸面取りをします。

①【フィレット】ツールをクリックする
②〈r〉を入力し、〈90〉を入力する（半径＝90）
③〈m〉を入力する（複数）
④線で結んだ○をクリックする（2組）
⑤スペースキーを押す（ツール終了）

STEP 036　手すりの端部（1）

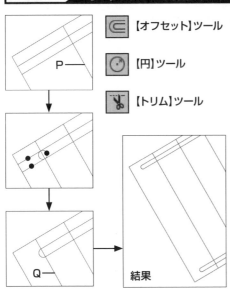

結果

【オフセット】ツール

【円】ツール

【トリム】ツール

左側の手すり端部を処理します。

①左側上部の手すり端部を拡大表示する
②【オフライン】ツールをクリックする
③〈150〉を入力する
④P線をクリックし、P線の左側をクリックする
⑤【円】ツールをクリックする
⑥〈2p〉を入力する（2点円）
⑦2つの交点をクリックして円を描く
⑧【トリム】ツールをクリックする
⑨●を付けたところをクリックする（3カ所）
⑩スペースキーを押す（ツール終了）
⑪反対側の手すり端部も同様の処理をしたあとQ
　線を削除する

STEP 037 手すりの端部（2）

【オフセット】ツール　　【トリム】ツール

右側の手すり端部を処理します。

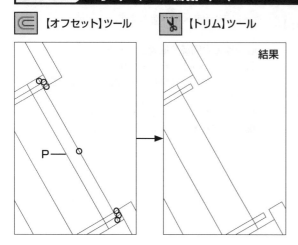

結果

❶右側の手すり端部を拡大表示する
❷【オフセット】ツールをクリックする
❸〈100〉を入力する
❹P線をクリックし、P線の右側をクリックする
❺【トリム】ツールをクリックする
❻○を付けたところをクリックする（7カ所）
❼ スペース キーを押す（ツール終了）

STEP 038 手すりと重なる段板線の処理（1）

【トリム】ツール

手すりと重なる段板線を切り取ります。

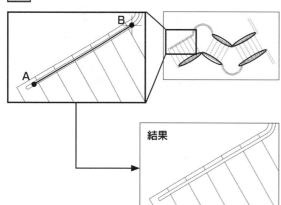

結果

❶右図の長方形で囲んだ部分を拡大表示する
❷【トリム】ツールをクリックする
❸線を描くようにA点→B点をクリックする
❹ スペース キーを押す（ツール終了）
❺右上図の楕円で囲んだ部分も同じように処理する（5カ所）

STEP 039 手すりと重なる段板線の処理（2）

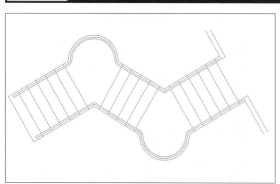

前ステップの結果です。

STEP 040 昇り記号（1）

 【線分】ツール　 【フィレット】ツール

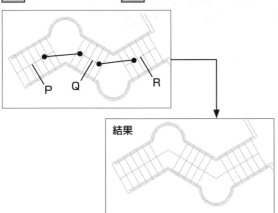

結果

昇り記号を描きます。

❶「Center」画層を現在画層にする
❷【線分】ツールで段板の中点を結ぶ**P**、**Q**、**R**の3線を描く
❸【フィレット】ツールをクリックする
❹〈**r**〉を入力し、〈**0**〉を入力する（半径＝0mm）
❺〈**m**〉を入力する（複数）
❻線で結んだ●をクリックする（2組）
❼ スペース キーを押す（ツール終了）

STEP 041 昇り記号（2）

 【円】ツール　 【線分】ツール

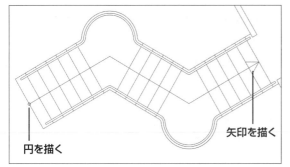

矢印を描く

円を描く

昇り記号を仕上げます。

❶【円】ツールで昇りはじめに半径30の円を描く
※縮尺が1/30で半径30mmは印刷すると半径1mmになります（直径2mm）。

❷【線分】ツールで矢印を描く

STEP 042 完成

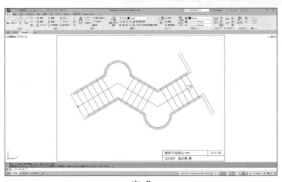

完成

タイトル欄に文字を記入して完成です。
　タイトル文字の高さは印刷したときの高さで3.5mm程度が適当です。このため入力時の文字高さは105mm（3.5×30）にします。文字の設定については224 ～ 225ページの説明を参考にしてください。

5 3級試験の解法例②
Jw_cadで「階段」図面をトレースする

これから82ページの階段平面図をJw_cad（Version 8.25a）で描く手順を説明します。

準備として線色の1～4に使用する線の太さ（細線、中線、太線）を設定してください（190ページ参照）。

線色1…極細線（0.05mm）
線色2…細線（0.09mm）
線色3…中線（0.18mm）
線色4…太線（0.25mm）

本書はJw_cadの操作を説明する本ではないので、細かな説明は省きます。もしこれからの説明で、分からないことが続出するようでしたら、Jw_cadそのものを勉強する必要があります。特に画面コントロール、読取点（スナップ）、クロックメニューはJw_cadの基本ですので、しっかり身に付けてから取り掛かってください。

Jw_cadは左右のマウスボタンを使い分けることが多いのですが、本書は一般的なWindowsソフトの表記に従い、左ボタンの場合は「左」という文字を付けないで、単にクリックとかドラッグなどと表記します。右ボタンのときには必ず「右」を付け、右クリック、右ドラッグなどと表記します。

STEP 001　用紙サイズと縮尺の設定

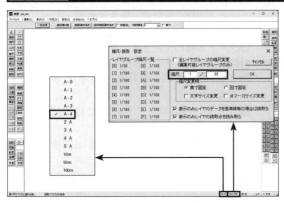

Jw_cad (Ver.8.25a)の画面

Jw_cadを起動し、用紙と縮尺を設定します。

❶Jw_cadを起動する

❷用紙サイズを「A-4」に、縮尺を「1/30」に設定する

STEP 002　図面枠

【矩形】コマンド

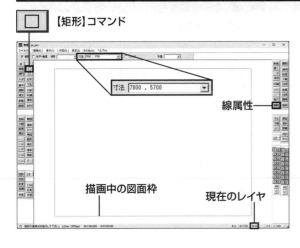

図面枠を描きます。

❶画面を全体表示させる（マウス両ボタンで右上ドラッグ）

❷ 線属性 で線色を「線色4」にする

❸レイヤが[0-0]になっているのを確認する

❹【矩形】コマンドをクリックする

❺コントロールバーの「寸法」に〈**7800,5700**〉を入力する

※「7800,5700」は問題の参考図にある数値です。この数値は頻繁に変わるので注意してください。

❻画面の中央付近を2回クリックする

※本書は「左クリック」を「クリック」と記します。

STEP 003　タイトル枠（1）

【矩形】コマンド

タイトル枠を描きます。

❶ 線属性 で線色を「線色2」にする

❷【矩形】コマンドが起動しているのを確認する

❸コントロールバーの「寸法」に〈**2900,500**〉を入力する

❹**A**点（端点）を右クリックする

❺マウスを動かし、矩形が図の位置になったところでクリックする

STEP 004　タイトル枠(2)

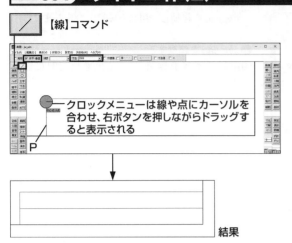

【線】コマンド

クロックメニューは線や点にカーソルを
合わせ、右ボタンを押しながらドラッグす
ると表示される

結果

タイトル枠の欄の線を描きます。

❶タイトル枠の付近を拡大表示する
❷【線】コマンドをクリックする
❸コントロールバーの「水平・垂直」にチェックを
　入れる
❹コントロールバーの「寸法」に〈2900〉を入力
　する
❺P線でクロックメニューを出し、【中心点・A
　点】を選択する
❻線が右側になるようにしてクリックする

次ステップに続きます。

STEP 005　タイトル枠(3)

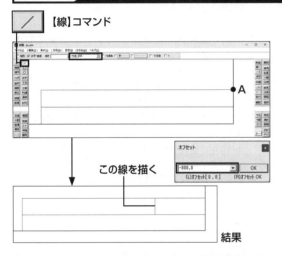

【線】コマンド

この線を描く

結果

オフセット
-800,0　　　OK
(L)オフセット[0 , 0]　　(R)オフセット OK

前ステップの続きです。

❶コントロールバーの「寸法」に〈250〉を入力する
❷A点でクロックメニューを出し【オフセット】を
　クリックする
❸ダイアログに〈-800,0〉をキーインしてから
　OK をクリックする
❹縦線が図のようになったところでクリックする

STEP 006　基準点

【点】コマンド

ここに仮点を描いた

A

オフセット
1300,1900　　　OK
(L)オフセット[0 , 0]　　(R)オフセット OK

基準になる位置に仮点を描きます。

❶全体を表示させる
❷書き込みレイヤを[0-1]に変える
❸【点】コマンドをクリックする
❹コントロールバーの「仮点」をオンにする
❺A点でクロックメニューを出し、【オフセット】
　をクリックする
❻ダイアログに〈1300,1900〉をキーインしてか
　ら OK をクリックする

note

仮点の位置(1300,1900)は図面にスケールを当てて調
べただいたいの位置です。

STEP 007 階段の外形線（1）

□ 【矩形】コマンド

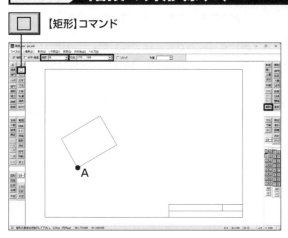

階段の外形線を描き始めます。

❶ 線属性 で線色を「線色3」にする
❷【矩形】コマンドをクリックする
❸コントロールバーの「傾き」に〈**30**〉を入力する
　（角度＝30°）
❹コントロールバーの「寸法」に〈**1770,1300**〉を
　入力する
❺A点（仮点）を右クリックする
❻マウスを動かし、矩形の位置が図のようになっ
　たらクリックする

STEP 008 階段の外形線（2）

□ 【矩形】コマンド

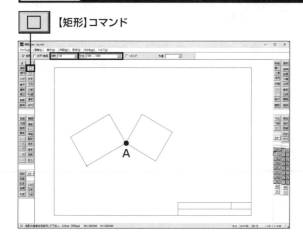

続けて階段の外形線を描きます。

❶【矩形】コマンドが起動しているのを確認する
❷コントロールバーの「傾き」に〈**-30**〉を入力し、
　「寸法」に〈**1380,1300**〉を入力する
❸A点（端点）を右クリックする
❹マウスを動かし、矩形の位置が図のようになっ
　たらクリックする

STEP 009 階段の外形線（3）

□ 【矩形】コマンド

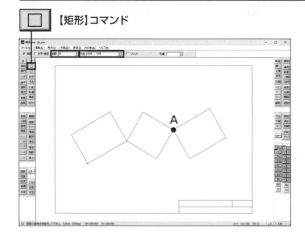

続けて階段の外形線を描きます。

❶【矩形】コマンドが起動しているのを確認する
❷コントロールバーの「傾き」に〈**30**〉を入力し、
　「寸法」に〈**1650,1300**〉を入力する
❸A点（端点）を右クリックする
❹マウスを動かし、矩形の位置が図のようになっ
　たらクリックする

STEP 010　円弧型の外形線（1）

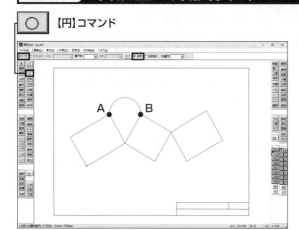

【円】コマンド

踊り場の円弧型の外形線を描きます。

❶【円】コマンドをクリックする
❷コントロールバーの「円弧」と「半円」にチェックを入れる
❸A点（端点）→B点（端点）を右クリックする
❹マウスを動かし、円弧が上を向いたところでクリックする

次ステップに続きます。

STEP 011　円弧型の外形線（2）

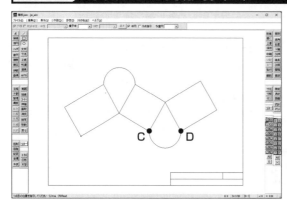

前ステップの続きです。

❶C点（端点）→D点（端点）を右クリックする
❷マウスを動かし、円弧が下を向いたところでクリックする

STEP 012　仮点を消去する

点　【点】コマンド

❶【点】コマンドをクリックする
❷コントロールバーの 全仮点消去 をクリックする

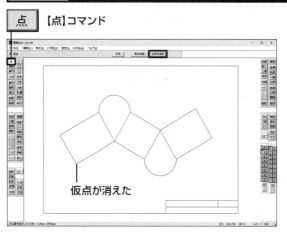

仮点が消えた

STEP 013 　階段の段板線（1）

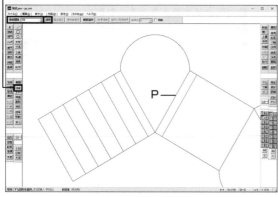

複線 【複線】コマンド

外形線を複写して段板線にします。

❶【複線】コマンドをクリックする
❷P線をクリックする
❸コントロールバーの「複線間隔」に〈270〉を入力する
❹P線の右側をクリックする
❺コントロールバーの 連続 を5回クリックする

複写したあとの図

III

3級試験の解法例

STEP 014 　階段の段板線（2）

複線 【複線】コマンド

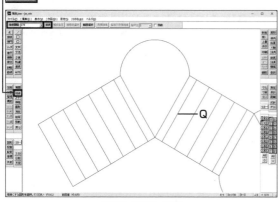

続けて段板線を生成します。

❶【複線】コマンドをクリックする
❷P線をクリックする
❸コントロールバーの「複線間隔」に〈150〉を入力する
❹P線の右側をクリックする

次ステップに続きます。

> **note**
>
> Jw_cad はコマンド終了の方法が用意されていないので次のコマンドをクリックして終了させます。ここでも❹のあと複写が継続するので、結果に影響しないコマンド、たとえば【範囲】コマンドをクリックします。このように終了の代わりに使うコマンドを「ホームコマンド」と呼ぶことがあります。

複写したあとの図

STEP 015 　階段の段板線（3）

複線 【複線】コマンド

さらに複写を続けます。

❶【複線】コマンドをクリックする
❷Q線をクリックする
❸コントロールバーの「複線間隔」に〈270〉を入力する
❹Q線の右側をクリックする
❺コントロールバーの 連続 を3回クリックする

複写したあとの図

STEP 016 階段の段板線（4）

【複線】コマンド

複線

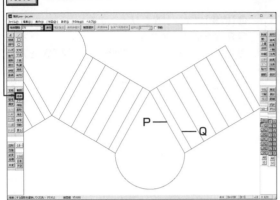

複写したあとの図

さらに複写を続けます。

❶画面をスクロールする（図参照）
❷【複線】コマンドをクリックする
❸P線をクリックする
❹コントロールバーの「複線間隔」に〈150〉を入力
してからP線の右側をクリックする
❺再び【複線】コマンドをクリックする
❻Q線をクリックする
❼コントロールバーの「複線間隔」に〈270〉を入力
してからQ線の右側をクリックする
❽コントロールバーの 連続 を4回クリックする

STEP 017 階段の段板線（5）

消去

【消去】コマンド

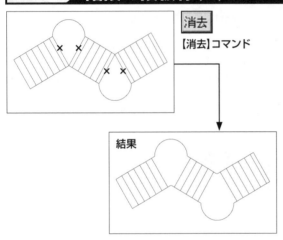

結果

不要な線を消去します。

❶階段全体が見えるようにする
❷【消去】コマンドをクリックする
❸×を付けた線を右クリックして消去する（4本）

STEP 018 壁手すり（1）

伸縮

【伸縮】コマンド

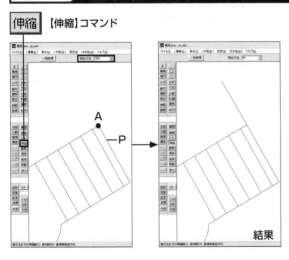

結果

上階の手すりの準備をします。

❶【伸縮】コマンドをクリックする
❷コントロールバーの「突出寸法」に〈1000〉を入
力する
❸P線をクリックする
❹A点（端点）を右クリックする

STEP 019　壁手すり（2）

【伸縮】コマンド

手すりの準備を続けます。

❶【伸縮】コマンドをクリックする
❷コントロールバーの「突出寸法」に〈**90**〉を入力する
❸**P**線の**A**点より上側の任意点をクリックする
❹**A**点（端点）を右クリックする

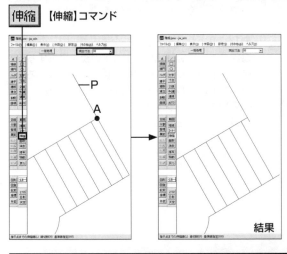

結果

STEP 020　壁手すり（3）

【複線】コマンド　　　　【線】コマンド

壁手すりを描きます。

❶【複線】コマンドをクリックする
❷**P**線をクリックする
❸コントロールバーの「複線間隔」に〈**120**〉を入力する
❹**P**線の右側をクリックする
❺【線】コマンドをクリックする
❻コントロールバーの「水平・垂直」のチェックを外す
❼中央の図の円で囲んだ位置に線を描く

ここに線を描く

結果

STEP 021　壁手すり（4）

【線】コマンド

壁手すりをミラーコピーしますが、まず基準線を描きます。

❶【線】コマンドをクリックする
❷コントロールバーの「傾き」に〈**30**〉を入力する
❸任意の段板線（たとえば**P**線）の中点から任意点まで線を描く

※線の中点はクロックメニューで指定します。

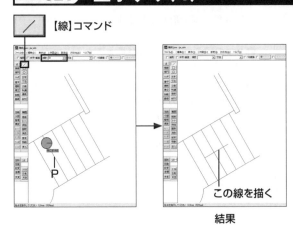

この線を描く

結果

III

3級試験の解法例

STEP 022　壁手すり(5)

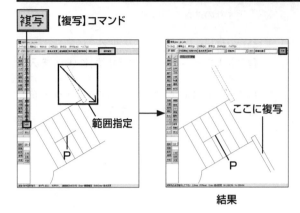

【複写】コマンド

範囲指定

P

ここに複写

P

結果

壁手すりをミラーコピーします。

❶【複写】コマンドをクリックする
❷図のように範囲指定して3本の線を選択する
❸コントロールバーの 選択確定 をクリックする
❹コントロールバーの 反転 をクリックする
❺P線をクリックする
❻最後にP線を消去する

結果は次ステップで示します。

STEP 023　壁手すり(6)

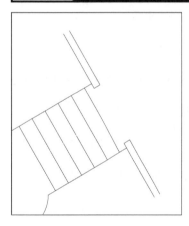

前ステップの結果です。

STEP 024　踊り場の丸面取り(1)

【面取】コマンド

踊り場の丸面取りをします。

❶2つの円弧型の踊り場が見えるようにする
❷【面取】コマンドをクリックする
❸コントロールバーの「丸面」にチェックを入れ、
　「寸法」に〈100〉を入力する
❹線で結んだ2本の線をクリックする(4組)

結果は次ステップで示します。

STEP 025 　踊り場の丸面取り（2）

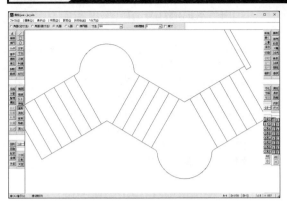

前ステップの結果です。

STEP 026 　手すり（1）

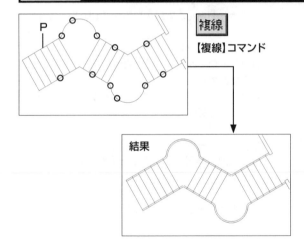

【複線】コマンド

結果

手すりの片側の線を描きます。

❶【複線】コマンドをクリックする
❷P線をクリックする
❸コントロールバーの「複線間隔」に〈**50**〉を入力する
❹P線の下側をクリックする
❺○を付けた線を右クリックしてから階段の内側をクリックする（11カ所）

STEP 027 　手すり（2）

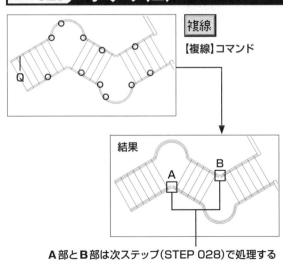

【複線】コマンド

結果

A部とB部は次ステップ（STEP 028）で処理する

手すりを生成します。

❶【複線】コマンドをクリックする
❷Q線をクリックする
❸コントロールバーの「複線間隔」に〈**40**〉を入力する
❹Q線の下側をクリックする
❺○を付けた線を右クリックしてから階段の内側をクリックする（11カ所）

STEP 028 手すり(3)

面取 【面取】コマンド

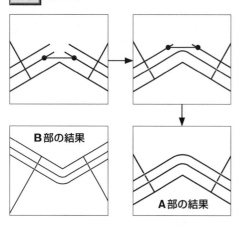

B部の結果

A部の結果

手すりを丸面取りする。

❶前図(STEP 027)に示した**A**部を拡大表示する
❷【面取】コマンドをクリックする
❸コントロールバーの「丸面」にチェックを入れ、「寸法」に〈**50**〉を入力する
❹線で結んだ2本の線をクリックする(1組)
❺コントロールバーの「寸法」に〈**90**〉を入力する
❻線で結んだ2本の線をクリックする(1組)
❼**B**部も同様の処理をする

STEP 029 段板線を切り取る(1)

消去 【消去】コマンド

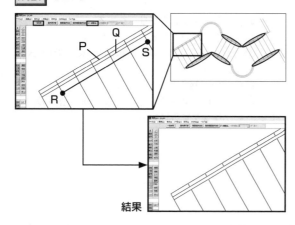

結果

手すりと重なる階段の段板線を切り取ります。

❶【消去】コマンドをクリックする
❷コントロールバーの「節間消し」がオンになるのを確認する
❸コントロールバーの 一括処理 をクリックする
❹**P**線と**Q**線をクリックする
❺**R**線→**S**線をクリックする
❻コントロールバーの 処理実行 をクリックする
❼右上図の楕円で囲んだ部分も同じ処理をする(5カ所)

結果は次図を参照してください。

STEP 030 段板線を切り取る(2)

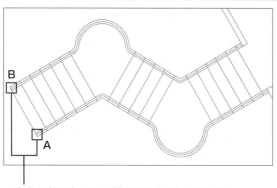

A部と**B**部は次ステップ(STEP 031)で処理する

前ステップの結果です。

STEP 031 手すりの端部（1）

伸縮 【伸縮】コマンド　　○ 【円】コマンド

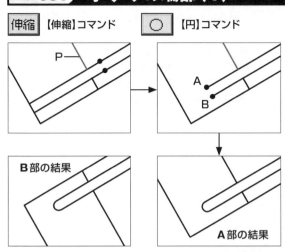

手すりの端部を処理します。

❶前図（STEP 030）に示したＡ部を拡大表示する
❷【伸縮】コマンドをクリックする
❸Ｐ線を右ダブルクリックする（基準線）
❹コントロールバーの［突出寸法］に〈**150**〉を入力する
❺•を付けたあたりをクリックする（2カ所）
❻【円】コマンドをクリックする
❼コントロールバーの「円弧」と「半円」にチェックを入れる
❽Ａ（端点）→Ｂ点（端点）を右クリックして半円を描く
❾Ｂ部も同様の処理をする

STEP 032 手すりの端部（2）

伸縮 【伸縮】コマンド　　／ 【線】コマンド

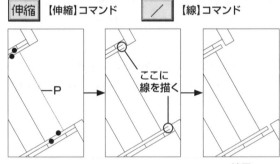

階段右側の手すり端部の処理をします。

❶階段右端を拡大表示する
❷【伸縮】コマンドをクリックする
❸Ｐ線を右ダブルクリックする（基準線）
❹コントロールバーの「突出寸法」に〈**100**〉を入力する
❺•を付けたあたりをクリックする（4カ所）
❻【線】コマンドで手すり端部に線を描く（2カ所）

STEP 033 昇り記号（1）

／ 【線】コマンド　　コーナー 【コーナー】コマンド

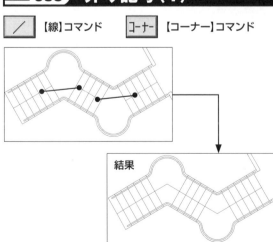

昇り記号を描きます。

❶線属性 をクリックし、「線色1」を選択する
❷【線】コマンドをクリックする
❸段板線の中点を結ぶ線を描く（3本）
❹【コーナー】コマンドをクリックする
❺線で結んだ2本の線をクリックする（2組）

STEP 034　昇り記号（1）

○ 【円】コマンド	／ 【線】コマンド

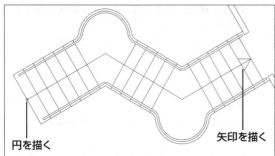

円を描く　　　　　　　　矢印を描く

昇り記号を仕上げます。

❶【円】コマンドをクリックする
❷昇りはじめに半径30の円を描く
❸【線】コマンドをクリックする
❹昇り終わりに矢印を描く

STEP 035　完成

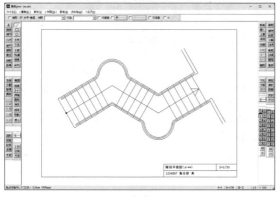

完成

【文字】コマンドでタイトル欄に文字を記入して
完成です。文字の高さは印刷実寸で4mm程度が
適当です。

❶書き込みレイヤを[0-0]レイヤに変える
❷【文字】コマンドでタイトル欄に文字を記入する
❸全体を表示させる

6 3級試験の解法例③
AutoCADで「柱・壁・間仕切壁」図面をトレースする

　建築CAD検定試験の実例の解法の2番目は「柱・壁・間仕切壁」です。用紙サイズはA4判で縮尺が1/100。建具は入っていませんが建築平面図としてもっとも基本的な部分です。

　階段平面図と同じようにAutoCADから手順を説明します。階段平面図とそっくりの操作がありますが省略せずに記します。ただし説明の一部は省きますので疑問があれば階段平面図の当該個所を見ていただくか、AutoCADのマニュアルなどを参照してください。

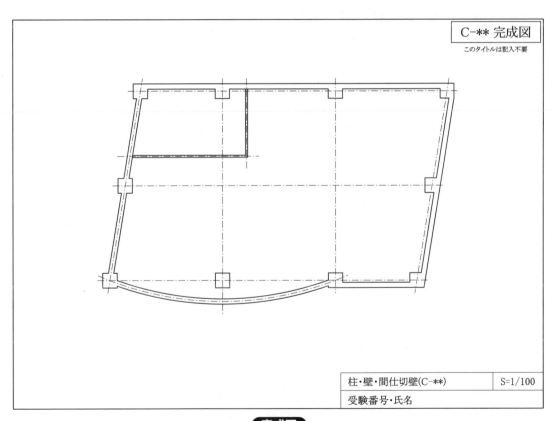

C-** 完成図
このタイトルは記入不要

柱・壁・間仕切壁(C-**)	S=1/100
受験番号・氏名	

完成図

現時点（2024年2月）のAutoCADの最新バージョンは2024です。そしてAutoCAD LTは販売終了しています。しかし日本の建築製図の現場ではさまざまのバージョン（多くは2009から2024までのいずれか）のAutoCAD/AutoCAD LTを使っていると思われます。本項ではAutoCAD 2024で操作説明をしていますが、他のバージョンで練習をしている読者がたくさんおられると思います。

　本書の操作手順で使っているツールは旧バージョンにもありますが位置が違っていることもあります。かといって、どこにそれらの機能があるかをバージョンごとに説明するのは本書の目的から離れてしまいます。幸いAutoCAD（およびAutoCAD LT）のツールはコマンドを入力することで直接呼び出せます。そしてコマンドはどのバージョンでも共通です（ただしMac版は未確認）。

　そこで本書で使っているツールのうち見つかりにくいと思われるツールのコマンドを記しますので、もし見つからないときは次に記すコマンドをキーボードで入力してください。

ツール	コマンド
【オフセット】ツール	offset
【フィレット】ツール	fillet
【画層プロパティ管理】ツール	layer
【点スタイル管理】ツール	ptype
【寸法スタイル管理】ツール	dimstyle
【線種管理】ツール	linetype

ツール	コマンド
【トリム】ツール	trim
【ポリライン編集】ツール	pedit
【長さ変更】ツール	lengthen
【分解】ツール	explode
【文字スタイル管理】ツール	style

　なおAutoCAD 2022から【トリム】ツールと【延長】ツールが大きく変わりました。バージョン2021以前を使う場合は124ページの［note］をご覧ください。

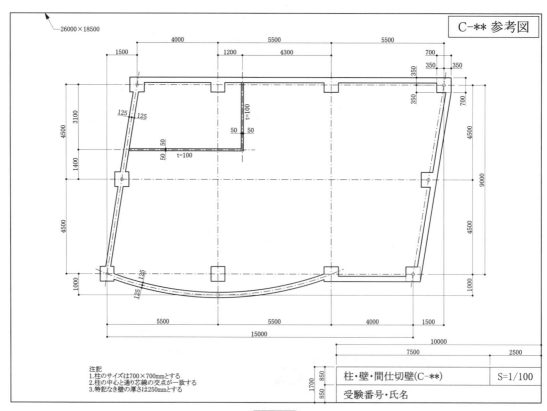

参考図

STEP 001　AutoCAD を起動

AutoCAD 2023の画面

❶AutoCAD を起動する

　画面に「Viewcube」と「ナビゲーション」が表示されている場合は非表示にしたほうが安全です。非表示にする方法は84ページのSTEP 002を参照してください。

note

建築CAD検定試験ではテンプレートファイルの使用を認めていますがテンプレートファイルに図形(図面枠など)が描いてある場合には不正となり失格になるので注意してください。すなわちテンプレートファイルには寸法スタイルと文字スタイルあるいは画層の設定ぐらいしか含められません。

STEP 002　[極トラッキング]と[オブジェクトスナップ]の設定

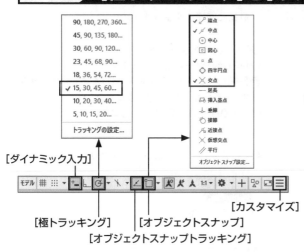

[ダイナミック入力]

[カスタマイズ]

[極トラッキング]　　　[オブジェクトスナップ]

[オブジェクトスナップトラッキング]

❶ステータスバーの[極トラッキング]を右クリックし、メニューの【15,30,45,60】をクリックする
❷次に[オブジェクトスナップ]を右クリックし、メニューで【端点】【中点】【点】【交点】をオンにして他をオフにする

note

ステータスバーでは[極トラッキング][オブジェクトスナップ][オブジェクトスナップトラッキング][ダイナミック入力]の4つのボタンをオンにしておきます。まれにオフにする場合があり、その場合は手順に示します。
また、[ダイナミック入力]が表示されていないときは[カスタマイズ]をクリックし、[ダイナミック入力]にチェックを入れてください。

STEP 003　線種の準備

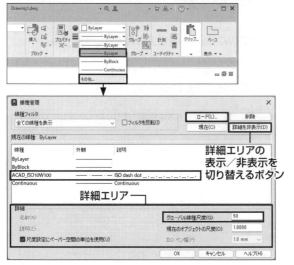

詳細エリアの表示／非表示を切り替えるボタン

詳細エリア

通り芯線に使う一点鎖線を用意します。

❶[ホーム]タブの[プロパティ]パネルの【線種】の【その他】をクリックする
❷ダイアログで[ロード]をクリックする
❸ダイアログで「ACAD_ISO10W100」をクリックしてから OK をクリックする
❹詳細エリアの「グローバル線種尺度」に〈50〉をキーインする
❺ OK をクリックして作図ウィンドウに戻る

note

図面縮尺が1/100なのでグローバル線種尺度は本来なら「100」ですが、これでは粗すぎるので「50」にしました。

Ⅲ

3級試験の解法例

STEP 004 画層の準備

【画層プロパティ管理】ツール

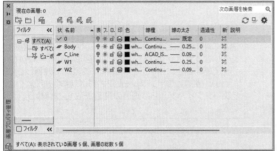

画層（レイヤ）を準備します。

❶【画層プロパティ管理】ツールをクリックする
❷「画層プロパティ管理」パレットで必要な画層を作成してからパレットを閉じる

note

どのような画層を作るかは自由ですが、ここでは次の4画層を作っています。
「Body」画層 ……………… 線の太さ=0.25mm
「C_line」画層 …………… 線の太さ=0.09mm
　　　　　　　　　　　　 線種=ACAD_ISO10W100
「W1」画層 ………………… 線の太さ=0.25mm
「W2」画層 ………………… 線の太さ=0.09mm
※「C_Line」以外の画層の線種は「Continuous」（実線）です。
※色はすべて「White」です。Whiteは白バックでは黒で表示されます。

STEP 005 図面枠

【長方形】ツール　　　【オブジェクト範囲】ツール

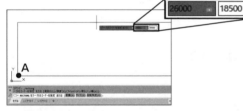
「W1」画層

26000　18500

A

最初に図面枠を描きます。

❶「W1」画層を現在画層にする
❷【長方形】ツールをクリックする
❸作図ウィンドウの左下あたり（**A**点）をクリックする（だいたいの位置でかまわない）
❹〈**26000,18500**〉を入力する
　※入力するのは〈　〉の中身だけで両側の〈　〉は入力しません。
❺【オブジェクト範囲】ツールをクリックする

結果は次図を参照してください。

note

【オブジェクト範囲】ツールは[ホーム]タブにないのでクイックアクセスツールバーに登録することをお勧めします（85ページのSTEP 006を参照）。

note

〈26000,18500〉は参考図に記されている数値です。この数値は頻繁に変えているので注意してください。

STEP 006 タイトル枠（1）

【長方形】ツール

「W2」画層

これがタイトル枠

●A

タイトル枠を描きます。

❶「W2」画層を現在画層にする
❷【長方形】ツールをクリックする
❸**A**点（端点）をクリックする
❹〈**-10000,1700**〉を入力する
　※タイトル枠のサイズ「10000×1700」は参考図にあります。このサイズは頻繁に変わるので注意してください。

STEP 007 タイトル枠(2)

 【線分】ツール

タイトルの欄の線を描きます。

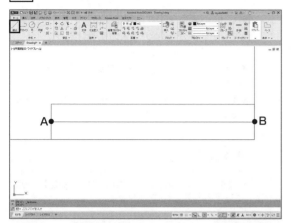

❶前ステップで描いたタイトル枠のあたりを拡大表示する
❷【線分】ツールをクリックする
❸A点(中点)→B点(中点)をクリックして線を描く
❹スペースキーを押す(ツールの終了)

STEP 008 タイトル枠(3)

 【線分】ツール

引き続きタイトルの欄の線を描きます。

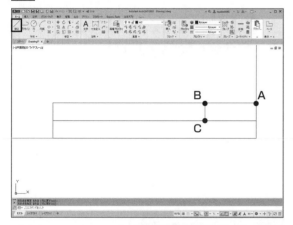

❶【線分】ツールをクリックする
❷A点にカーソルを合わせて一呼吸おいてから左水平方向にカーソルを少し動かす
　※A点でクリックしないこと。カーソルを動かしすぎると他の点(中点)にヒットしてしまうので少しだけ動かします。
❸〈2500〉を入力してB点を確定
❹カーソルをB点の真下方向に動かし、C点(交点)をクリックする
❺スペースキーを押す(ツールの終了)
　※❷と❸ではステータスバーの[オブジェクトスナップトラッキング]の機能を利用しています。

STEP 009 基準点(1)

 【点スタイル管理】ツール

次ステップで使う「点」のスタイルを設定します。

❶図面枠の全体が見えるようにする
❷[ホーム]タブの[ユーティリティ]パネルにある【点スタイル管理】ツールをクリックする
❸「点スタイル管理」ダイアログで使用したい点スタイルをクリックしてからOKをクリックする

━本書はこの点スタイルを使う

STEP 010 基準点(2)

「C_line」画層

ここに点オブジェクト
を描いた

Shift キー
＋右クリックメニュー

note

点の位置(@4700,
6100)は図面にス
ケールを当てて調べ
ただいたいの位置で
す。

基準になる位置に点を描きます。

❶「C_line」画層を現在画層にする
❷キーボードから〈**po**〉を入力する
　※「po」で【点、単一点】コマンドを起動します
❸ Shift キーを押しながら右クリックし、メニュー
　の【基点設定】をクリックする
❹**A**点(図面枠の左上の端点)をクリックしてから、
　〈**@4700,6100**〉を入力する

note

座標の頭に付けた「@」は相対座標を意味します。図形を
作成するときは「@」を省略できますが【基点設定】ツール
では「@」を省略できません。

STEP 011 通り芯線(1)

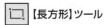【長方形】ツール

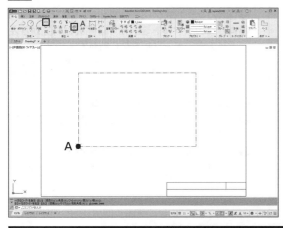

通り芯線を描き始めます。

❶【長方形】ツールをクリックする
❷**A**点(点オブジェクト)をクリックする
❸〈**15000,9000**〉を入力する

STEP 012 通り芯線(2)

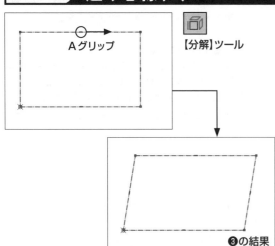

Aグリップ

【分解】ツール

❸の結果

前ステップで描いた長方形を変形します。

❶前ステップで描いた長方形をクリックして選択
　する
❷上部中央のグリップ(**A**)をクリックし、右水平
　方向に少し動かす
❸〈**1500,0**〉を入力する
❹変形長方形(四角形)が選択されているのを確認
　してから【分解】ツールをクリックする
　※四角形を分解すると４本の線分に変わります。

STEP 013 通り芯線（3）

 【線分】ツール

続けて通り芯線を描きます。

❶【線分】ツールをクリックする
❷**A**点（中点）→**B**点（中点）に線を描く

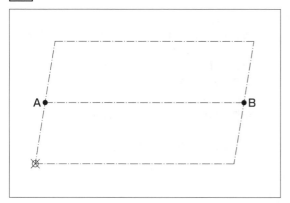

 STEP 014 通り芯線（4）

 【線分】ツール

さらに通り芯線を描きます。

❶【線分】ツールをクリックする
❷**A**点（端点）にカーソルを合わせて一呼吸おいて から右水平方向にカーソルを少し動かす
　※A点ではクリックしません。
❸〈**4000**〉を入力して**B**点を確定する
❹**B**点の真下方向の**C**点（交点）をクリックする
❺ スペース キーを押す（ツール終了）

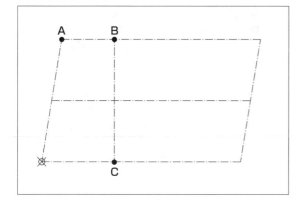

 STEP 015 通り芯線（5）

【オフセット】ツール 【移動】ツール

さらに通り芯線を描きます。

❶【オフセット】ツールをクリックする
❷〈**5500**〉を入力する
❸**P**線をクリックしてから**P**線の右側をクリック して**Q**線を生成する
❹ スペース キーを押す（ツール終了）
❺点オブジェクトをクリックして選択する
❻【移動】ツールをクリックする
❼任意の位置をクリックしてから〈**5500, -1000**〉を入力する

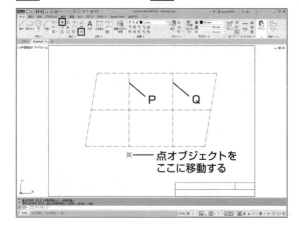

※── 点オブジェクトを ここに移動する

III

3級試験の解法例

通り芯線(6)

 【円弧】ツール　　 【延長】ツール

円弧の通り芯線を描きます。

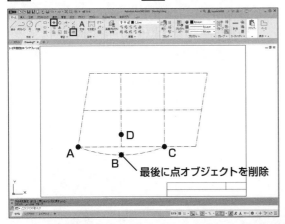

最後に点オブジェクトを削除

❶【円弧】ツールをクリックする
❷**A**点(端点)→**B**点(点オブジェクト)→**C**点(端点)をクリックして円弧を描く
❸【延長】ツールをクリックする
❹**D**点あたりをクリックする
❺ スペース キーを押す(ツール終了)
❻最後に点オブジェクトを削除する

結果は次図を参照してください。

間仕切壁の通り芯線

 【線分】ツール

間仕切壁の通り芯線を描きます。

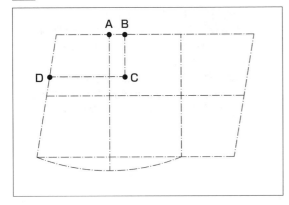

❶【線分】ツールをクリックする
❷**A**点(端点)にカーソルを合わせて一呼吸おいてから右水平方向にカーソルを少し動かす
※A点ではクリックしない。
❸〈**1200**〉を入力して**B**点を確定する
❹**B**点の真下方向にカーソルを動かしてから〈**3100**〉を入力して**C**点を確定する
❺**C**点の左水平方向にカーソルを動かし、**D**点(交点)でクリックする
❻ スペース キーを押す(ツール終了)

通り芯線の仕上げ(1)

 【長さ変更】ツール　

通り芯線の端部を600mm伸ばします。

❶【長さ変更】ツールをクリックする
❷〈**de**〉を入力する(増減)
❸〈**600**〉を入力する(600mm増)
❹〈**f**〉を入力する(フェンス選択)
❺**A**点(任意点)→**B**点(任意点)をクリックしてから Enter キーを押す

結果は次図を参照してください。【長さ変更】ツールを起動したまま次ステップに続きます。

※A—B線と交差した通り芯線の端部が600mm伸びます。
※交差しているにもかかわらず伸びない通り芯線があったら、あとでその通り芯線をクリックしてください。

STEP 019 通り芯線の仕上げ(2)

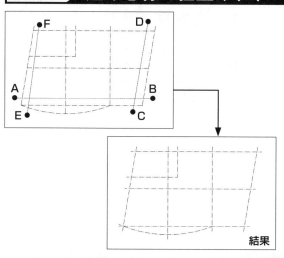

結果

前ステップの続きです。

❶〈**f**〉を入力する(フェンス選択)

❷**A**点(任意点)→**B**点(任意点)をクリックしてから Enter キーを押す

❸〈**f**〉を入力する(フェンス選択)

❹**C**点(任意点)→**D**点(任意点)をクリックしてから Enter キーを押す

❺〈**f**〉を入力する(フェンス選択)

❻**E**点(任意点)→**F**点(任意点)をクリックしてから Enter キーを押す

【長さ変更】ツールを起動したまま次ステップに続きます。

STEP 020 通り芯線の仕上げ(3)

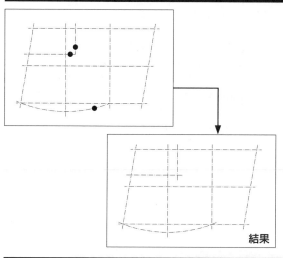

結果

前ステップの続きです。

❶●を付けたあたりをクリックする(3カ所)

❷ スペース キーを押す(ツール終了)

STEP 021 柱(1)

【長方形】ツール

「Body」画層

柱

A

柱を描きます。

❶「Body」画層を現在画層にする

❷【長方形】ツールをクリックする

❸**A**点(通り芯線の交点)をクリックする

❹〈**700,700**〉を入力する

III

3級試験の解法例

STEP 022 柱（2）

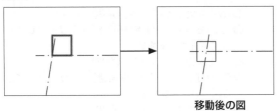

移動後の図

【移動】ツール

柱を所定の位置に移動します。

❶前ステップで描いた柱をクリックして選択する
❷【移動】ツールをクリックする
❸任意の位置をクリックする
❹〈-350,-350〉を入力する

STEP 023 柱を複写

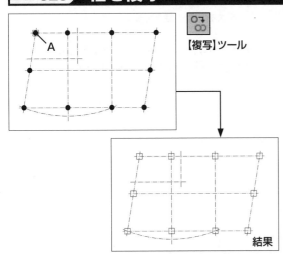

結果

【複写】ツール

柱を複写します。

❶柱をクリックして選択する
❷【複写】ツールをクリックする
❸A点（通り芯線の交点）をクリックする
❹他の●を付けた点をクリックする（9カ所）
　※9カ所はすべて通り芯線の交点
❺スペースキーを押す（ツール終了）

 STEP 024 壁（1）

【線分】ツール

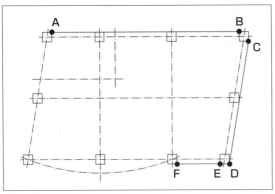

壁の片側の線を描きます。

❶【線分】ツールをクリックする
❷A点（端点）→B点（端点）をクリックする
❸スペースキーを2回押す（ツール終了と再開）
❹C点（端点）→D点（端点）をクリックする
❺スペースキーを2回押す（ツール終了と再開）
❻E点（端点）→F点（端点）をクリックする
❼スペースキーを押す（ツール終了）

結果は次図を参照してください。

STEP 025　壁(2)

【オフセット】ツール

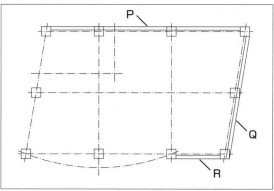

壁の反対側の線を生成したあとの図

壁の反対側の線を生成します。

❶【オフセット】ツールをクリックする
❷〈**250**〉を入力する(間隔)
❸**P**線をクリックしてから**P**線の下側をクリックする
❹**Q**線をクリックしてから**Q**線の左側をクリックする
❹**R**線をクリックしてから**R**線の上側をクリックする
❺ スペース キーを押す(ツール終了)

STEP 026　壁(3)

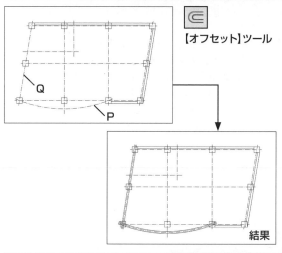

【オフセット】ツール

結果

通り芯線から壁の線を生成します。

❶【オフセット】ツールをクリックする
❷〈**l**〉(エル)を入力する(画層)
❸〈**c**〉を入力する(現在画層)
❹〈**125**〉を入力する(間隔)
❺**P**線(円弧)→**P**線の上側をクリックする
❻**P**線(円弧)→**P**線の下側をクリックする
❼**Q**線→**Q**線の左側をクリックする
❽**Q**線→**Q**線の右側をクリックする
⑨ スペース キーを押す(ツール終了)

STEP 027　間仕切壁

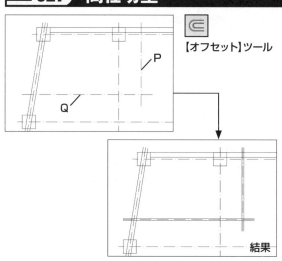

【オフセット】ツール

結果

間仕切壁の線を生成します。

❶【間仕切壁あたりを拡大表示する
❷【オフセット】ツールをクリックする
❸〈**50**〉を入力する(間隔)
❹**P**線→**P**線の左側をクリックする
❺**P**線→**P**線の右側をクリックする
❻**Q**線→**Q**線の上側をクリックする
❼**Q**線→**Q**線の下側をクリックする
❽ スペース キーを押す(ツール終了)

STEP 028 柱と壁の仕上げ（1）

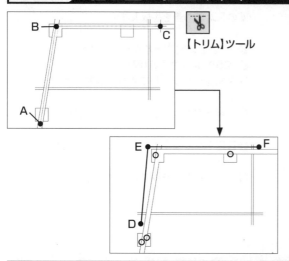

【トリム】ツール

柱と壁の包絡処理をします。

❶【画層】で「C_Line」画層をフリーズする
❷図のような範囲を拡大表示する
❸【トリム】ツールをクリックする
❹〈f〉を入力する（交差フェンス）
❺A点→B点→C点をクリックしてから Enter
　キーを押す
❻〈f〉を入力し、D点→E点→F点をクリックして
　から Enter キーを押す
❼○を付けた位置をクリックする（4カ所）
❽ スペース キーを押す（ツール終了）

結果は次図を参照してください。

STEP 029 柱と壁の仕上げ（2）

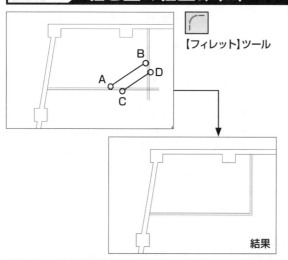

【フィレット】ツール

結果

間仕切壁のコーナーを処理します。

❶【フィレット】ツールをクリックする
❷〈r〉を入力する（フィレット半径）
❸〈0〉を入力する（フィレット半径＝0）
❹A→Bをクリックする
❺ スペース キーを押す（ツール再開）
❻C→Dをクリックする

STEP 030 柱と壁の仕上げ（3）

 【分解】ツール　　 【トリム】ツール

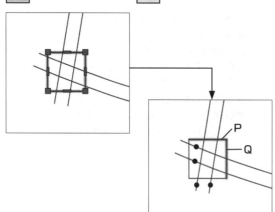

包絡処理を続けます。

❶下部左端の柱を拡大表示する
❷柱をクリックして選択する
❸【分解】ツールをクリックする
❹【トリム】ツールをクリックする
❺〈t〉を入力する（切り取りエッジ）
❻P線とQ線をクリックしてから スペース キーを
　押す（選択確定）
❼●を付けた位置をクリックする（4カ所）
❽ スペース キーを押す（ツール終了）

次ステップに続きます。

STEP 031　柱と壁の仕上げ（4）

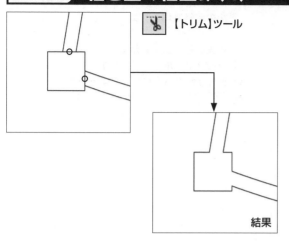

✂ 【トリム】ツール

結果

前ステップの続きです。

❶【トリム】ツールをクリックする
❷○を付けた位置をクリックする（2カ所）
❸ スペース キーを押す（ツール終了）

STEP 032　柱と壁の仕上げ（5）

【トリム】ツール

包絡処理を続けます。

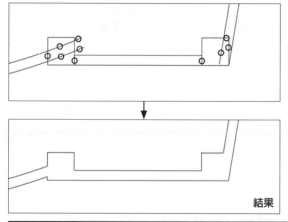

結果

❶下部右側の柱を拡大表示する
❷【トリム】ツールをクリックする
❸○を付けた位置をクリックする（10カ所）
❹ スペース キーを押す（ツール終了）

STEP 033　柱と壁の仕上げ（6）

【トリム】ツール　【フィレット】ツール

包絡処理を続けます。

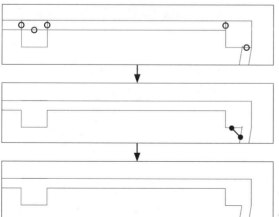

結果

❶図のように右上の柱2本を拡大表示する
❷【トリム】ツールをクリックする
❸○を付けた位置をクリックする（5カ所）
❹ スペース キーを押す（ツール終了）
❺【フィレット】ツールをクリックする
❻●を付けた2線をクリックする

III
3級試験の解法例

STEP 034 柱と壁の仕上げ（7）

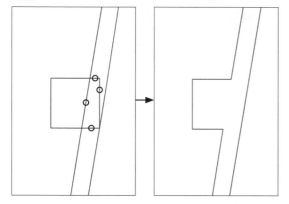

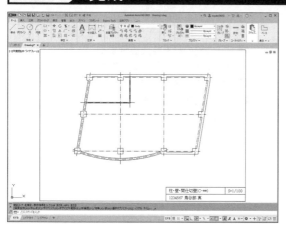

【トリム】ツール

最後の包絡処理をします。

❶**右中央の柱を拡大表示する**
❷**【トリム】ツールをクリックする**
❸**○を付けた位置をクリックする（4カ所）**
❹ スペース **キーを押す（ツール終了）**

STEP 035 完成

完成

タイトル欄に文字を記入して完成です。

❶**「C_line」画層をフリーズ解除する**
❷**タイトル欄に文字を記入する**

　タイトル文字の高さは印刷したときの高さで
3.5mm程度が適当です。このため入力時の文字高
さは350mm（3.5×100）にします。文字の設定に
ついては224～225ページの説明を参考にしてく
ださい。

---

note

【トリム】ツールと【延長】ツール

AutoCAD 2022から【トリム】ツールと【延長】ツールの仕様が大きく変わりました。
変わった内容が多岐にわたるため表にまとめました。

No	項　目	AutoCAD 2022 以降	AutoCAD 2021 以前
1	【トリム】ツール　で　全図形が切り取りエッジ	デフォルト	スペース キーを押す
2	【トリム】ツール　で　切り取りエッジ　指定	〈t〉を入力	デフォルト
3	【トリム】ツール　で　交差フェンス　使用	できる	できない
4	【トリム】ツール　で　フェンス選択	〈f〉を入力	〈f〉を入力
5	【トリム】ツール　で　線の削除	できる	できない
6	【延長】ツール　で　全図形が境界エッジ	デフォルト	スペース キーを押す
7	【延長】ツール　で　境界エッジ　指定	〈b〉を入力	デフォルト
8	【延長】ツール　で　交差フェンス　使用	できる	できない
9	【延長】ツール　で　フェンス選択	〈f〉を入力	〈f〉を入力

※「デフォルト」はツールをクリックしたあと何も文字を入力しないことです
※「交差フェンス」は96ページのSTEP 038（❷～❹）で使った処理方法です
※「フェンス選択」は、別のツールですが118ページのSTEP 018で使っています

7 ３級試験の解法例④
Jw_cad で「柱・壁・間仕切壁」図面をトレースする

　Jw_cad（Version 8.25a）で 111 ページに示した「柱・壁・間仕切壁」
図面をトレースします。階段平面図と同じように手順を説明します。
ただし説明の一部を省きますので疑問があれば階段平面図の当該個
所を見ていただくか、Jw_cad の参考書を参照してください。

STEP 001　用紙サイズと縮尺の設定

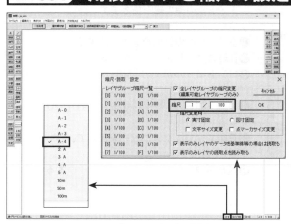

Jw_cad (Ver.8.25a)の画面

　Jw_cadを起動し、用紙と縮尺を設定します。

❶Jw_cadを起動する
❷左図のように用紙サイズを「A-4」に、縮尺を
「1/100」に設定する

STEP 002　図面枠

【矩形】コマンド

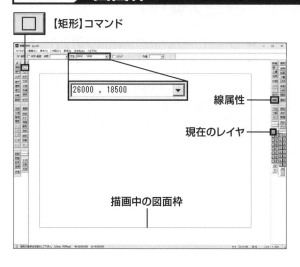

線属性

現在のレイヤ

描画中の図面枠

　図面枠を描きます。

❶画面を全体表示させる（マウス両ボタンで右上
ドラッグ）
❷ 線属性 で線色を「線色4」にする
❸レイヤが [0-0] になっているのを確認する
❹【矩形】コマンドをクリックする
❺コントロールバーの「寸法」に〈**26000,18500**〉
を入力する
※「26000,18500」は問題の参考図にある数値です。この数
値は頻繁に変わるので注意してください。
❻画面の中央付近を２回クリックする
※本書は「左クリック」を「クリック」と記します。

STEP 003　タイトル枠（1）

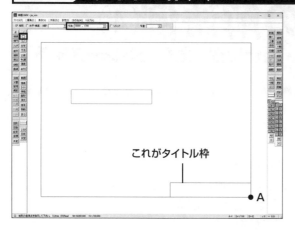

これがタイトル枠

A

タイトル枠を描きます。

1 線属性 で線色を「線色2」にする
2 【矩形】コマンドが起動しているのを確認する
3 コントロールバーの「寸法」に〈**10000,1700**〉
を入力する
4 A点（端点）を右クリックする
5 マウスを動かして矩形が図の位置になったところでクリックする

STEP 004　タイトル枠（2）

【線】コマンド

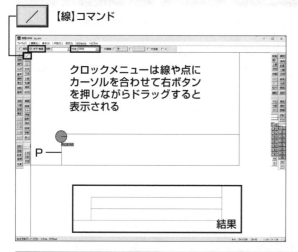

クロックメニューは線や点に
カーソルを合わせて右ボタン
を押しながらドラッグすると
表示される

P

結果

タイトルの欄の線を描きます。

1 タイトル枠の付近を拡大表示する
2 【線】コマンドをクリックする
3 コントロールバーの「水平・垂直」にチェックを入れる
4 コントロールバーの「寸法」に〈**10000**〉を入力する
5 P線でクロックメニューを出して、【中心点・A点】を選択する
6 線が右側になるようにしてクリックする

次ステップに続きます。

STEP 005　タイトル枠（3）

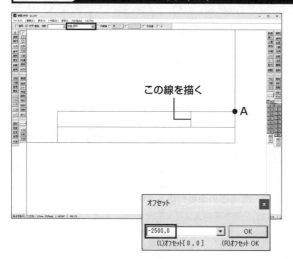

この線を描く

A

オフセット

-2500,0　　　OK

（L)オフセット[0 , 0]　　(R)オフセット OK

前ステップの続きです。

1 コントロールバーの「寸法」に〈**850**〉を入力する
2 A点でクロックメニューを出し、【オフセット】
をクリックする
3 ダイアログに〈**-2500,0**〉をキーインしてから
OK をクリックする
4 縦線が図のようになったところでクリックする

STEP 006　通り芯線（1）

□　【矩形】コマンド

この通り芯線を描く

A●

note

位置の〈4700,6100〉は問題の図面にスケールを当てて計測しただいたいの数値です。

これから通り芯線を描きます。

❶全体を表示させる
❷書き込みレイヤを[0-1]に変える
❸ 線属性 で「一点鎖1」をクリックしてから OK をクリックする
❹【矩形】コマンドをクリックする
❺コントロールバーの「寸法」に〈**15000,9000**〉を入力する
❻**A**点でクロックメニューを出し、「オフセット」をクリックする
❼ダイアログに〈**4700,6100**〉を入力する
❽図の位置に通り芯線を配置する

STEP 007　通り芯線（2）

複線　【複線】コマンド

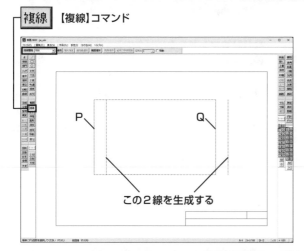

P　　　　　Q

この2線を生成する

通り芯線を複写します。

❶【複線】コマンドをクリックする
❷**P**線をクリックする
❸コントロールバーの「複線間隔」に〈**1500**〉を入力する
❹**P**線の右側をクリックする
❺**Q**線を右クリックする
❻**Q**線の右側をクリックする

STEP 008　通り芯線（3）

複線　【複線】コマンド

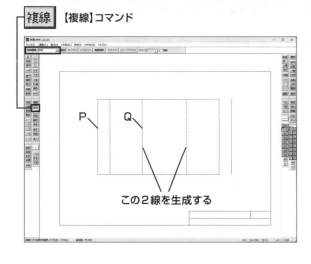

P　　Q

この2線を生成する

さらに通り芯線を複写します。

❶【複線】コマンドをクリックする
❷**P**線をクリックする
❸コントロールバーの「複線間隔」に〈**5500**〉を入力する
❹**P**線の右側をクリックして**Q**線を生成する
❺**Q**線を右クリックする
❻**Q**線の右側をクリックする

STEP 009　通り芯線(4)

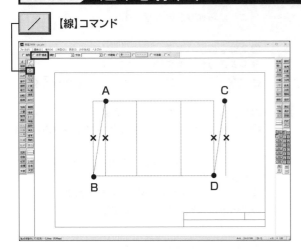

【線】コマンド

斜め通り芯線を描きます。

❶【線】コマンドをクリックする
❷コントロールバーの「水平・垂直」のチェックを外す
❸A点(端点)→B点(端点)に線を描く
❹C点(端点)→D点(端点)に線を描く
❺×を付けた線を消去する(4本)

STEP 010　通り芯線(5)

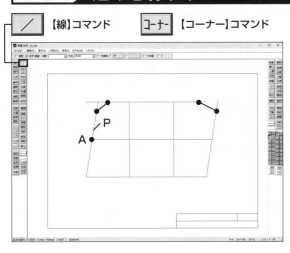

【線】コマンド　　【コーナー】コマンド

通り芯線をまとめます。

❶【線】コマンドをクリックする
❷コントロールバーの「水平・垂直」にチェック を入れ、「寸法」に〈15000〉を入力する
❸P線の中点(A点)から水平線を描く
❹【コーナー】コマンドをクリックする
❺線で結んだ2つの●をクリックする(2組)

結果は次図を参照してください。

STEP 011　通り芯線(6)

【伸縮】コマンド　　【円】コマンド

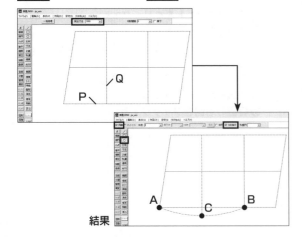

円弧の通り芯線を描きます。

❶【伸縮】コマンドをクリックする
❷コントロールバーの「突出寸法」に〈1000〉を入力する
❸P線を右ダブルクリックする
❹Q線をクリックする
❺【円】コマンドをクリックする
❻コントロールバーの「円弧」と「3点指示」にチェックを入れる
❼A点(端点)→B点(端点)→C点(端点)を右クリックする

結果

STEP 012 通り芯線の仕上げ（1）

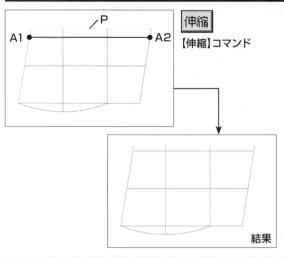

伸縮

【伸縮】コマンド

結果

通り芯線が揃ったので仕上げとして端部を600mm延長します。

❶【伸縮】コマンドをクリックする
❷コントロールバーの「突出寸法」に〈**600**〉を入力する
❸コントロールバーの 一括処理 をクリックする
❹P線をクリックする（基準線）
❺**A1**→**A2**をクリックする
❻任意の位置で右クリックする（実行）

STEP 013 通り芯線の仕上げ（2）

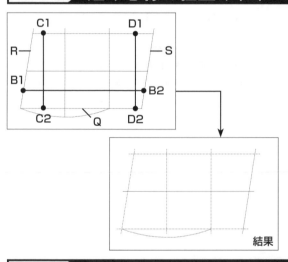

結果

引き続き、通り芯線の端部を600mm延長します。

❶【伸縮】コマンドが起動中であること、コントロールバーの「突出寸法」が〈**600**〉になっていることを確認する
❷コントロールバーの 一括処理 をクリックする
❸**Q**線をクリックする（基準線）
❹**B1**→**B2**をクリックする
❺任意の位置で右クリックする（実行）
❻ 一括処理 と**R**線をクリックする（基準線）
❼**C1**→**C2**をクリックする
❽任意の位置で右クリックする（実行）
❾ 一括処理 と**S**線をクリックする（基準線）
❿**D1**→**D2**をクリックする
⓫任意の位置で右クリックする（実行）

STEP 014 通り芯線の仕上げ（3）

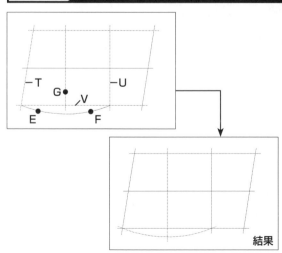

結果

残りの通り芯線の端部を600mm延長します。

❶【伸縮】コマンドが起動中であること、コントロールバーの「突出寸法」が〈**600**〉になっていることを確認する
❷**T**線を右ダブルクリックする（基準線）
❸**E**点あたりをクリックする
❹**U**線を右ダブルクリックする（基準線）
❺**F**点あたりをクリックする
❻「突出寸法」に〈**1600**〉を入力する
❼**V**線を右ダブルクリックする（基準線）
❽**G**点あたりをクリックする

STEP 015 柱(1)

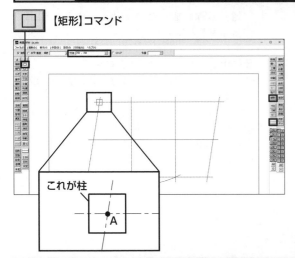

【矩形】コマンド

柱(700×700)を描きます。

❶書き込みレイヤを[0-2]に変える
❷ 線属性 で「線色4」と「実線」をクリックしてから OK をクリックする
❸【矩形】コマンドをクリックする
❹コントロールバーの「寸法」に〈**700,700**〉を入力する
❺**A**点を2回右クリックする

これが柱

STEP 016 柱(2)

複写 【複写】コマンド

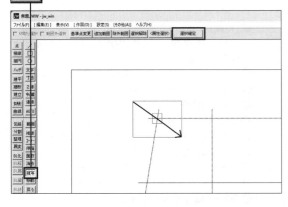

柱を複写します。まず柱を選択します。

❶【複写】コマンドをクリックする
❷図のように柱を囲むように対角をクリックする
❸コントロールバーの 選択確定 をクリックする

次ステップに続きます。

STEP 017 柱(3)

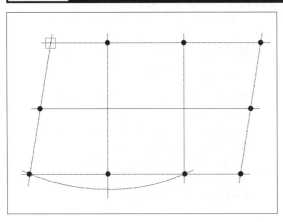

前ステップの続きです。

❶●を付けた位置を右クリックする(9カ所)

結果は次ステップで示します。

STEP 018 柱(4)

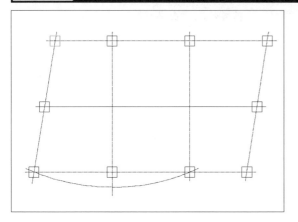

前ステップの結果です。

STEP 019 壁(1)

 【線】コマンド

壁の片側の線を描きます。

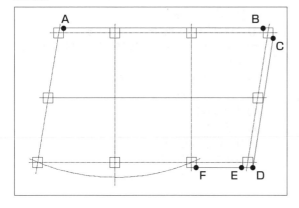

❶【線】コマンドをクリックする
❷コントロールバーの「水平・垂直」にチェックが
　入っていないことを確認する
❸A点(端点)→B点(端点)に線を描く
❹C点(端点)→D点(端点)に線を描く
❺E点(端点)→F点(端点)に線を描く

STEP 020 壁(2)

複線 【複線】コマンド

壁の反対側の線を生成します。

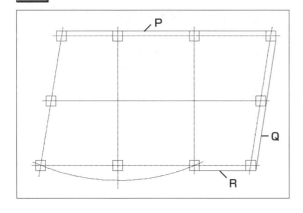

❶【複線】コマンドをクリックする
❷P線をクリックする
❸コントロールバーの「複線間隔」に〈250〉を入力
　する
❹P線の下側をクリックする
❺Q線を右クリックする
❻Q線の左側をクリックする
❼R線を右クリックする
❽R線の上側をクリックする

結果は次ステップで示します。

STEP 021 壁(3)

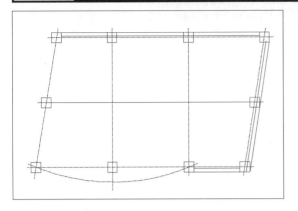

前ステップの結果です。

STEP 022 円弧壁

複線 【複線】コマンド

残りの通り芯線から壁の線を生成します。

❶【複線】コマンドをクリックする
❷P円弧(通り芯線)をクリックする
❸コントロールバーの「複線間隔」に〈125〉を入力する
❹P円の外側をクリックする
❺P円を右クリックする
❻P円の内側をクリックする
❼Q線を右クリックする
❽Q線の左側をクリックする
❼Q線を右クリックする
❾Q線の右側をクリックする

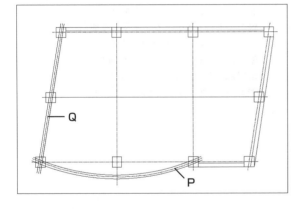

STEP 023 柱と壁を整理(1)

包絡 【包絡】コマンド

柱と壁の整理すなわち包絡処理をはじめます。

❶[0-1]レイヤを非表示にする
　※書き込みレイヤは[0-2]レイヤのままです
❷上部左側の3本の柱を拡大表示する(図参照)
❸【包絡】コマンドをクリックする
❹図のように対角をクリックして柱を囲む
❺残りの8本の柱でも❹の操作をする

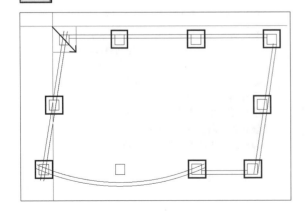

STEP 024 　柱と壁を整理（2）

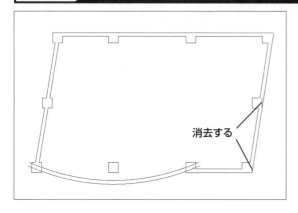

前ステップの結果です。

❶図に示すような線が残ったら消去する

消去する

STEP 025 　柱と壁を整理（3）

消去 【消去】コマンド

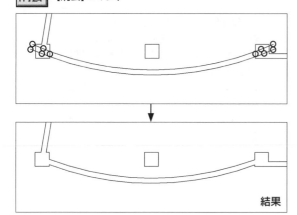

結果

【消去】コマンドで包絡処理をします。

❶下部の柱を拡大表示する（図参照）
❷【消去】コマンドをクリックする
❸コントロールバーの「節間消し」にチェックを入れる
❹○を付けたあたりをクリックする（10カ所）
　※クリックする順序は任意です。

STEP 026 　間仕切壁（1）

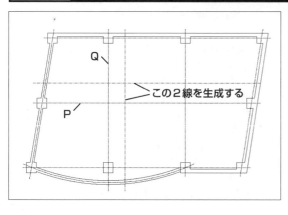

Q

この2線を生成する

P

間仕切壁を描くので通り芯線を描きます。

❶書き込みレイヤを[0-1]に変える
❷ 線属性 で「線色2」と「一点鎖1」をクリックしてから OK をクリックする
❸【複線】コマンドをクリックする
❹P線をクリックする
❺コントロールバーの「複線間隔」に〈1400〉を入力してからP線の上側をクリックする
❻Q線をクリックする
❼「複線間隔」に〈1200〉を入力してからQ線の右側をクリックする

STEP 027 　間仕切壁（2）

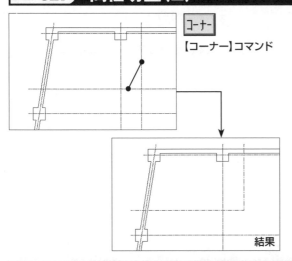

コーナー

【コーナー】コマンド

結果

通り芯線をまとめます。

❶【コーナー】コマンドをクリックする
❷線で結んだ●をクリックする（1組）

STEP 028 　間仕切壁（3）

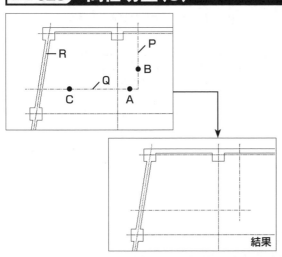

結果

通り芯線を仕上げます。

❶【伸縮】コマンドをクリックする
❷［突出寸法］に〈600〉を入力する
❸P線をダブル右クリックする（基準線）
❹A点あたりをクリックする
❺Q線をダブル右クリックする（基準線）
❻B点あたりをクリックする
❼R線をダブル右クリックする（基準線）
❽C点あたりをクリックする

STEP 029 　間仕切壁（4）

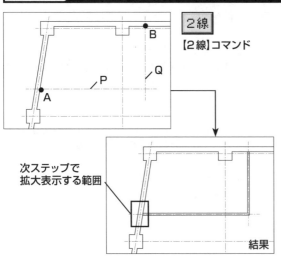

2線

【2線】コマンド

次ステップで
拡大表示する範囲

結果

間仕切壁を描きます。

❶書き込みレイヤを［0-2］に変える
❷ 線属性 で「線色4」と「実線」をクリックしてから
　 OK をクリックする
❸【2線】コマンドをクリックする
❹コントロールバーの「2線の間隔」に〈50,50〉を
　入力する
❺P線をクリックする
❻A点（交点）を右クリックする
❼Q線をダブルクリックする
❽B点（交点）を右クリックする

STEP 030　間仕切壁（5）

[伸縮] 【伸縮】コマンド

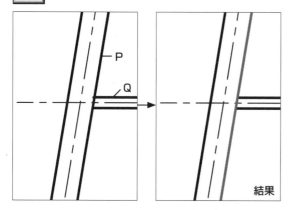

結果

間仕切壁を仕上げます。

❶前ステップで示した範囲を拡大表示する
❷【伸縮】コマンドをクリックする
❸Ｐ線を右ダブルクリックする
❹Ｑ線をクリックする

STEP 031　完成

[文字] 【文字】コマンド

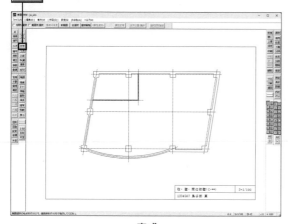

完成

　【文字】コマンドでタイトル欄に文字を記入して完成です。文字の高さは印刷実寸で4mm程度が適当です。

❶書き込みレイヤを[0-0]レイヤに変える
❷【文字】コマンドでタイトル欄に文字を記入する
❸全体を表示させる

MEMO

IV 章

2級問題の
解説・解法例

　2級試験問題は19ページで説明したように、問題に示された図面からどんな建物かを解釈し、その上で指定された2図面(平面詳細図と立面図)を作成します。

　ここでは過去の実問題を題材にして2級試験をどのように解けばよいかを解説をします。ただし3級試験とは異なり2級試験を解くために、ある程度建築の知識が必要です。しかし本書は建築設計の参考書ではないので問題を解くために必要な範囲だけを取り上げます。

1 ２級問題について

　問題はＡ４判用紙で３ページあります。１ページ目は文章だけで問題と補足説明が書かれています。補足説明は重要でここに書かれていることに反した図面を描くと確実に減点されます。

【問題】　1. １階平面図をもとに１階の平面詳細図を縮尺 1/50 で作成せよ。
　　　　　　2. 各図面をもとに南立面図を縮尺 1/50 で作成せよ。

【補足説明】

1. 用紙サイズはＡ３判（横使い）とし、平面詳細図で１枚、立面図で１枚の計２枚を使う。
2. 平面詳細図に記入するものは以下のとおりとする。
   ・平面図（Ｓ＝1/100）にある壁や建具および自動車や設備機器などの形状。
   ・平面図にある寸法。ただし壁の位置を示す寸法で、建物の外部にある寸法のみを記入すること。
   ・平面図にある室名と「上部吹抜」という文字列。
   ・ポーチ・玄関・デッキのハッチング。
   ・図面タイトル「１階平面詳細図　Ｓ＝1/50」
3. 平面詳細図の図面密度は参考図程度とする。
4. 各図面でサイズを指定していない部分は、適していると思われる位置／サイズで描くこと。
5. 壁厚は構造体厚を 100mm、仕上げ厚を 25mm（両面で 50mm）とし、合計 150mm とする。
6. サッシはアルミ製とし、見込み寸法は 100mm とする。
7. 平面図のサッシ部（および開口部）に記入してある Ｈ＝1400（2100）の「1400」はサッシの高さで、（　）内の数値は床から測ったサッシ上端（開口上端）の高さである。
   Ｗ＝2580 は幅を示す。なおサッシの幅と高さは躯体の開口寸法である。
8. 立面図に関する注意事項を以下に記す。
   ・必ず記入しなければならないものは GL（地盤線）、基礎、壁、建具、屋根、デッキ、デッキ階段、床下換気口（400×150）、バルコニー手摺および図面タイトル「南立面図　Ｓ＝1/50」。
   ・樋は記入しなくてよい。
   ・屋根の棟の包み金物は記入しなくてよい。
   ・寸法および屋根勾配は記入しなくてよい。
   ・サッシの下枠が水切りを兼ねるものとする（水切りを別部材として描く必要はない）。
9. 平面詳細図と立面図は直線、長方形、円弧、円、楕円を用いて描くこと。すなわちシンボル・部品図形・自動作図・ブロック・ライブラリなどの使用を禁じる（便器は楕円だけでもよい）。
10. ２枚の図面の両方とも、受験番号と氏名を図面右下部分に記入すること。
11. 平面詳細図と立面図の CAD データは別ファイルとする。
12. 保存ファイル名は受験番号に平面詳細図：hei、立面図：ritu を加えたものとする。
    （例：1234567hei, 1234567ritu）
13. 監督者が指定するメディアに解答図面データ（２ファイル）を保存し提出すること。
    なおいずれの１つでも解答図面データが無い場合は採点対象外になる。

2ページ目は1階平面図と2階平面図・1階屋根伏図が描かれています。縮尺は1/100で建具など簡易的に描かれています。ここにある1階平面図をもとに1階平面詳細図（縮尺＝1/50）を描くのが1つ目の問題です。

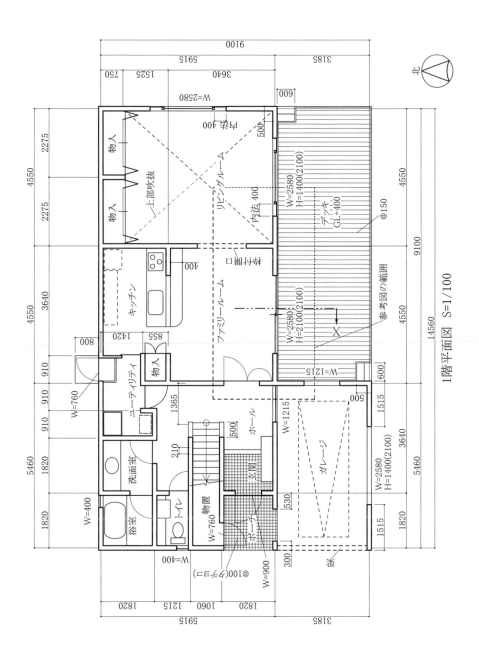

1階平面図　S=1/100

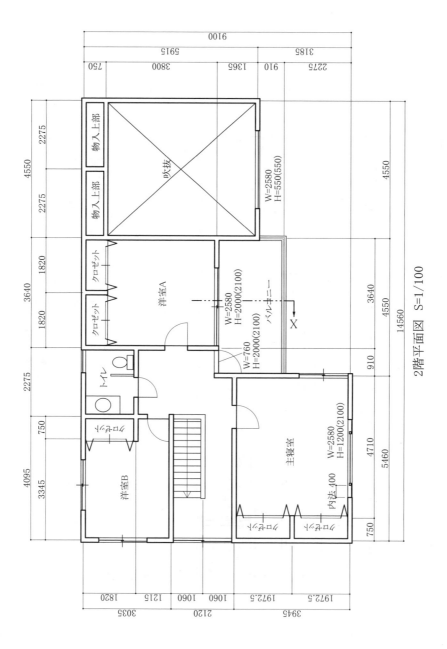

2階平面図　S=1/100

3ページ目には2階屋根伏図、断面図、平面詳細図の参考図、透視
図が描かれています。

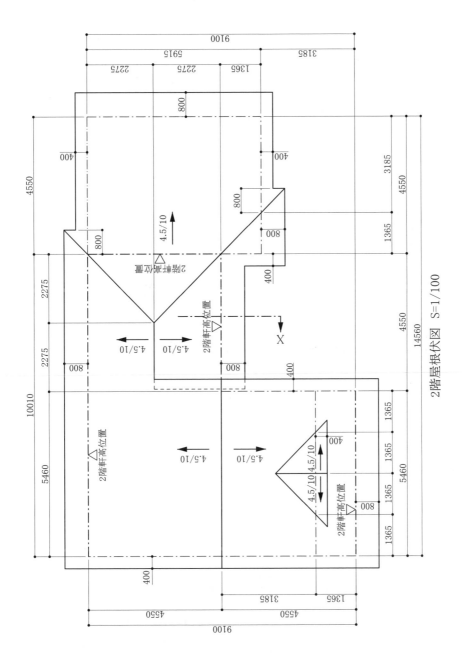

2階屋根伏図　S=1/100

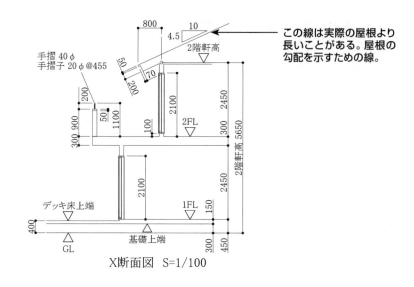

この線は実際の屋根より長いことがある。屋根の勾配を示すための線。

X断面図　S=1/100

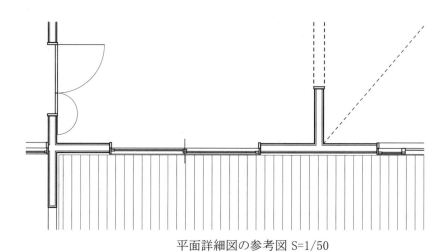

平面詳細図の参考図 S=1/50

透視図

2 解答例

　解答例を示します。あくまで例でこの解答例とそっくりの図面を描かねばならないということはありません。描き方で何が良くて何が悪いかは次ページ以降に解説します。

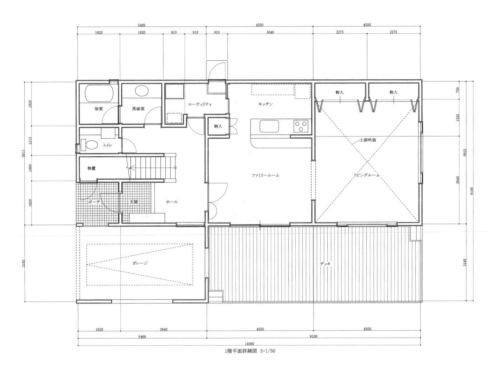

1階平面詳細図　S=1/50

南立面図　S=1/50

3 平面詳細図

　1階平面図（S = 1/100）をもとに平面詳細図（S = 1/50）を作成するのが問題1です。

　問題1の趣旨は次の2点です。

①建築実務に対応できる2D-CADの操作能力を持っているかを判定する

②建築図面の表現方法を知っているかを判定する

　2D-CADの操作能力に関しては、3級試験に合格できる能力があれば問題ありません。本書の「Ⅲ章　3級試験の解法例」（73ページ〜136ページ）がそのまま2級試験の練習に使えます。

③-01
平面詳細図の密度

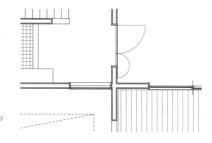

　平面詳細図は平面図より密度が高い図面を意味します。詳細図といっても密度はさまざまで縮尺が1/50と指定されても密度が決まるわけではありません。そこで試験問題に密度を示す参考図が示されています。

　「平面詳細図の参考図」が伝えていることを次に示します。

①壁は躯体線と仕上線を別々に描く

②躯体線と仕上線は隅角部で包絡処理をする

③柱、間柱、筋違（すじかい）あるいは竪枠（スタッド）など構造部材を描かない

④建具は枠と建具本体を描き分ける

⑤サッシュ（アルミ製）は内枠、サッシュ枠、框（かまち）、ガラスを描き分ける

　以上のように縮尺1/50にしては図面密度はさほど高くありません。参考図より密度を高くしてもよいですが採点に影響しないのでお勧めしません。しかし密度が参考図より低いと減点されます。

　これから各部ごとに注意点とともに示します。

③-02 壁

壁は躯体線と仕上げ線を分けて描きます。
問題の補足説明に「4. 壁厚は構造体厚を100mm、仕上げ厚を25mm（両面で50mm）とし合計150mmとする」とあります。これを図にすると右図のようになります。

平面図に通り芯線はありませんが平面図の寸法は壁の中心の位置を示しています。

参考図に通り芯線はないので描きません。なお通り芯を補助線として描いても通り芯線が目立ちすぎて図面が汚く見えるといったことがなければ採点に影響はありません。

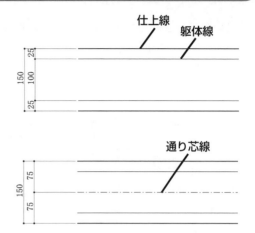

③-03 壁の位置

平面図の寸法を見ると建物の幅が14,560mm、奥行きが9,100mmなど910mmの整数倍になっているのが分かります。つまりグリッドの間隔（モジュール）が910mmです。壁はだいたい910mmのグリッドに乗っていますが廊下・階段の幅が1,060mm（＝ 910 + 150）、物入の奥行きが750mmなどとグリッドから外れているところもあります（これらの寸法は決まっているわけでなく他の寸法の場合もあります）。平面図をよく見て間違わないようにしてください。寸法を見落として壁の位置を間違えると減点されます。

住宅の設計図に慣れている人なら455・910・1365・1820・2275・2730・3185…という数字が身に付いているので、寸法を見ればグリッドに乗っているかどうかがすぐに分かりますが、慣れていない人は暗算あるいは電卓で計算する必要があります。

> **note**
>
> グリッドは方眼紙のようなもので木造戸建て住宅の設計図によく使われます。なお Jw_cad ではグリッドのことを「目盛」と呼んでいます。

3-04
建具の幅

　建具の幅（長さ）もグリッドに乗っているものとそうでないものがあります。図で□で囲った建具は両端がグリッドに乗っていますが他の建具・開口はグリッドとは関係なく幅が決められています。

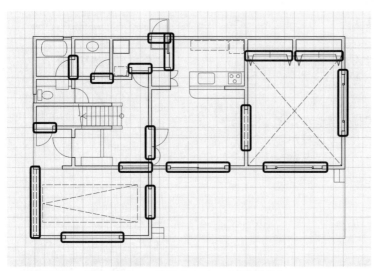

この図のグリッドは 455mm（910mm の 1/2）間隔

　一般にサッシュの幅はサッシュの内法幅あるいはサッシュの外形サイズで示すなどいくつかの方式がありますが、この問題では補足説明に記されているようにサッシュの幅を躯体の開口幅で表しており平面図に「W＝○○○○」と示されています。

　建築 CAD 検定試験ではグリッドに乗っているサッシュの幅を下表のようにグリッドの寸法から 150mm を引いた値としています。なお世の中のサッシュの幅がみなこのようになっているというわけではありません。あくまで建築 CAD 検定試験で採用している幅です。

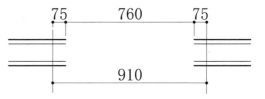

グリッドが 910mm のときのサッシュの幅
両側から 75mm 入った位置が開口の両端になる

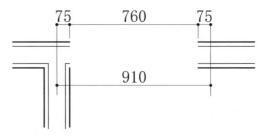

壁の隅角部に付く場合も同じく 75mm 入った位置が開口の両端になる

グリッド	サッシュの幅	備考
3640	3490	3640-150
3185	3035	3185-150
2730	2580	2730-150
2275	2125	2275-150
1820	1670	1820-150
1365	1215	1365-150
910	760	910-150

③-05 ドア枠の位置

片開きドアを例にして躯体に対する枠の位置を解説します。

枠の位置 -1

実際には右図のように躯体から少し逃げて枠を取り付けます。しかし縮尺 1/50 ではここまで表現する必要はありません。なお建築 CAD 検定試験でこのように描いてもかまいませんが採点に影響しません。

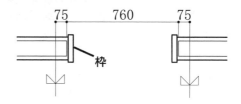

枠の位置 -2

縮尺 1/50 なら右図のように表現するのが普通です。

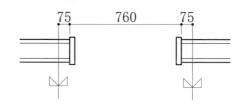

枠の位置 -3

壁の方向によってさまざまなケースがあります。建築 CAD 検定試験では下図のいずれでも採点の差はなく、すべて OK です。

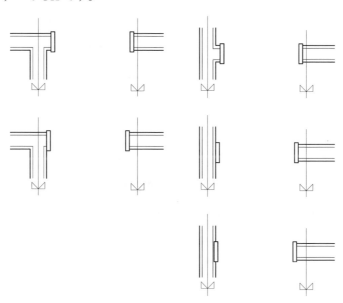

③-06
ドアの表現

ドアはドア枠とドア本体の説明をします。

ドア枠の厚み

ドア枠の厚みは 18 〜 60mm と建物の質によってさまざまですが建築 CAD 検定試験では特に指定がありません。ですから極端に薄いあるいは厚くなければ OK です。参考図では玄関扉の枠は 60mm、一般ドアの枠は 35mm で描いてますがこれと同じでなくてもかまいません。

「チリ」すなわち壁からの出っ張りは 15mm 程度とします。これは巾木（はばき）の厚みが 10mm 程度あると想定しての寸法です。

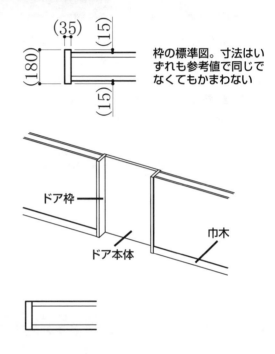

枠の標準図。寸法はいずれも参考値で同じでなくてもかまわない

設計によっては右図のように枠を壁の仕上げ厚と同じにすることがありますが（巾木は入り巾木）、建築 CAD 検定試験では参考図と大きく異なるので減点になります。

戸当たり

ドア枠に戸当たりがありますが戸当りを表現してもしなくてもかまいません。右図のいずれでも OK です。

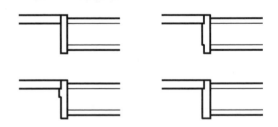

ドア本体の厚み

ドア本体の厚みは 30 〜 45mm 程度です。

ドア本体の位置

片開きのドアは開く側に寄せて描きます。

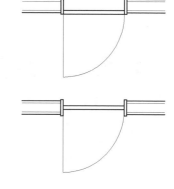

　右図のように描くと丁番の取り付けが特殊になります。建築 CAD 検定試験では減点になります。

枠と枠がぶつかる場合

　ドア枠とドア枠がぶつかることがありますが図のように処理すれば建築 CAD 検定試験では OK です。

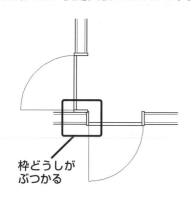

枠どうしがぶつかる

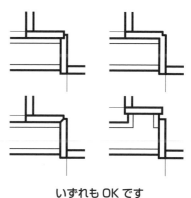

いずれも OK です

クロゼットのドア

　クロゼットのドアは片開きドアと異なり、軸とレールを用います。レールを上枠と下枠の両方に付ける場合と、上枠だけにレールを付け、下は軸受け金物だけの場合があります。本例では下枠の線があることに注意してください。ドア本体が 4 枚あるときは 1 枚の長さは枠の内法の 1/4 です。このサイズが大きく異なると減点されます。

下枠の線　　　　クロゼットドアの標準図

　右図はいずれも OK です。

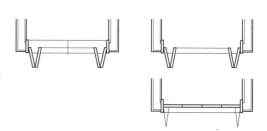

しかし右図は減点されます。

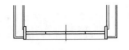 

開閉記号がない　　　　**ドア本体が長すぎる**

片引き戸

　片引き戸を描くのは面倒です。右の標準図を参考に手早く描けるように練習してください。ポイントは中間の枠が正確に中央にあることです。書くまでもありませんが標準図の通りに書かねばならないということではありません。これまでのドアの説明に準じます。

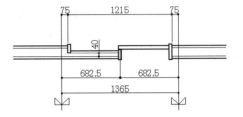

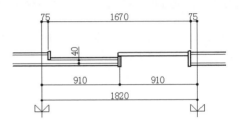

　中間の枠が中央にあれば戸を開いたときもきれいに納まります。

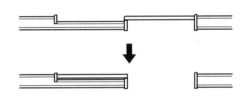

トイレのドア

　トイレのドアは他のドアより少し小さくします（躯体の開口巾 650mm 前後）。ただし介護用に使うことが予想されるトイレなら大きくします（開口幅 = 760mm 以上）。

浴室ドアと勝手口ドア

　浴室と勝手口のドアはアルミ戸を用います。注意点は次項のサッシに準じます。

3-07 サッシュの表現

サッシュ（アルミ製）は内枠（木製）、サッシュ枠、框（かまち）、ガラスおよび付随する線で表現します。

サッシュの開閉形式

建築CAD検定試験に使われているサッシュの開閉形式は次の通りです。

◆両袖片引きおよび片袖片引き
◆引き違い
◆勝手口ドア、テラスドア
◆開閉形式不明

「開閉形式不明の窓」は上げ下げ、ジャロジー、縦すべり出し、内たおし、Fix（はめ殺し）などで具体的にどれにあたるかは建具表で特定します。しかし建築CAD検定試験の解答に必要な情報は平面図および透視図に示されています。このため建具表はありません。

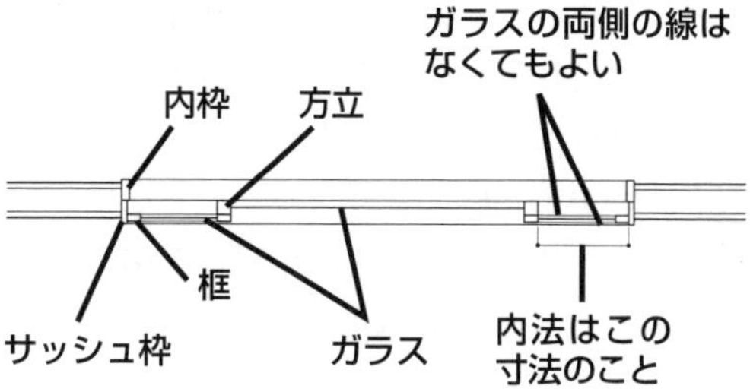

両袖片引き

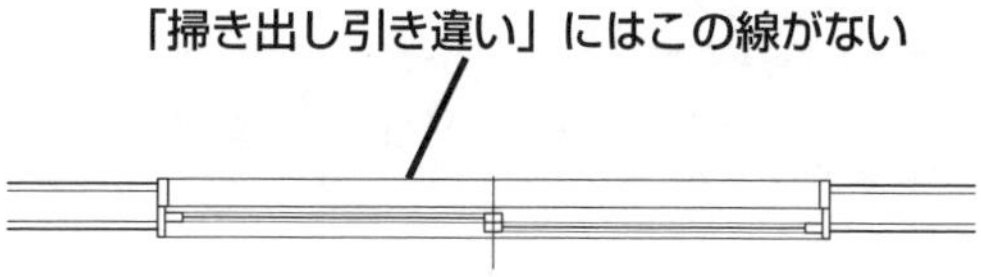

引き違い

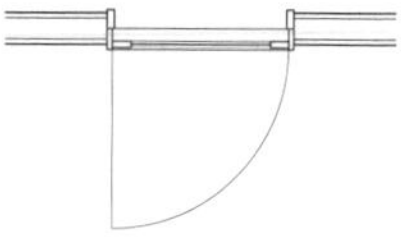

勝手口ドア、テラスドア

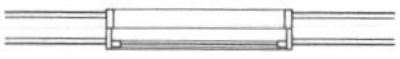

開閉形式不明

サッシュの位置

サッシュの位置は「ドア枠の位置」（147ページ）で説明した内容と同じように許容差があります。

建築CAD検定試験のサッシュは半外付けサッシュです。外壁とのチリは25mm程度で描きます。

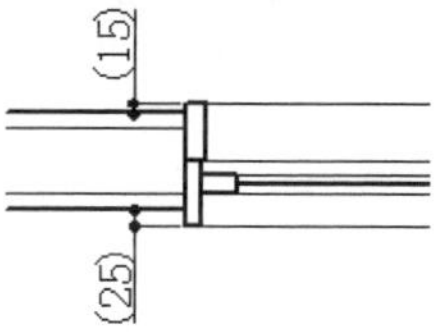

サッシ枠

実際のアルミサッシ枠は複雑な形状をしていますが縮尺 1/50 なら長方形で描きます。厚みは 25mm 程度です。見込み（奥行のこと）は補足説明に書いてあるように 100mm です。

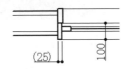

サッシの框

サッシの框の見付け幅は 30 ～ 120mm 程度とし、サッシの開閉形式やサイズで変えます。掃き出しサッシや勝手口ドア、テラスドア、浴室戸は大きくし、小窓は小さくしますが本来はデザインによって決めることなので非現実的なサイズでなければ採点に影響はありません。見込みは 30mm 程度です。

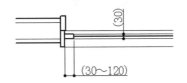

③-08
階段の表現

階段の正確な形は階段詳細図を描かないと特定できません。このため平面詳細図ではだいたいの形を描きます。図は標準的な描き方です。この図をもとに注意点をいくつか記します。

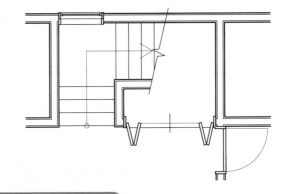

段板の位置

昇りはじめの段板線は壁芯ではなく、仕上げ線の位置あるいは仕上げ線から 25mm 程度入ったところに描きます。実際は右図のように段板はささら桁に取り付けます。しかし建築CAD検定試験ではささら桁を省略します。

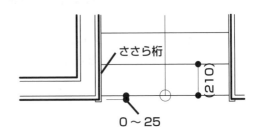

右図のどちらも OK です。

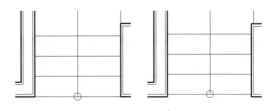

しかし右図は実際にあり得る納まりですが、問題の平面図とかなり違うので減点されます。

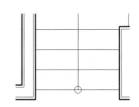

昇り方向の矢印

昇り方向の矢印は昇る方向の矢印を描きます。スタートは○または●を描き、エンドは線または塗り潰しの矢印を描きます。

スタートは○または●で描く。直径は 1.5 ～ 2mm（縮尺 1/50 なら 75 ～ 100mm）が見やすい

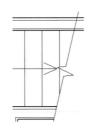
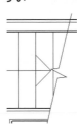
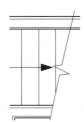

エンドの形状（いずれも OK）

破断線

破断線は階段と階段の下部を描き分けるために用います。

破断線の形状は各種あり、どのような形でもかまいません。形状よりも破断線の両側をきちんと描き分けているかが重要です。

破断線の位置ですが、本来なら平面図は床上 1.5m の位置の水平断面図のことですが、破断線を床上 1.5m の位置に描かねばならないということはありません。それよりも分かりやすい位置に描きます。

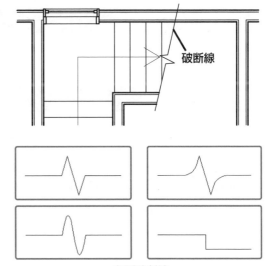

破断線

各種破断線

③-09 設備機器のサイズ

　設備機器は工事に含まれるものを実線で描き、竣工後にクライアント（施主）が持ち込むものを破線で描きますが、建築CAD検定試験では平面図に従います。

　設備機器は非現実的なサイズでなければOKです。建築CAD検定試験では平面図にスケール（物差し）をあてて読み取り、そのサイズで描けば無難ですが、以下のサイズを頭の中に入れておくと迷わずに描けますし、平面図と異なっていても減点されません。

キッチンセットのサイズ

- 既製品の巾は150mmの整数倍。2,550mm（= 150 × 17）が普通のサイズですが、平面図に示すサイズが優先します。
- 奥行きは550〜750mm。奥行きが大きいほど高級品です。
- シンクの巾は800mmぐらいが使いやすいです。
- クックトップは巾600mmで横の壁から150mm程度離します。（火災予防のため）

冷蔵庫

- 冷蔵庫のサイズは600 × 600mmを標準とします。

食器棚

- 食器棚の奥行きは450mmを標準とします。

洗濯機

- 洗濯機パンのサイズは800（W）× 640mm（D）を標準とします。

洗面カウンター

- 洗面カウンターの奥行きは600mmを標準とします。

便器

- 便器は図のいずれかに似た形で描きます。

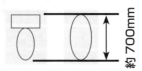

約700mm

③-10
寸法と文字

寸法と文字に関しては別項で詳しく説明していますので（204〜227ページ）、ここでは補足の注意点のみ記します。

文字のサイズは224ページ以降を参照していただくとして、採点をしてみると極端に大きな文字の図面が意外に多いのに驚きます。文字が大きすぎると図面全体が粗雑に見えますので図面全体イメージ（251ページ）の点に影響します。

文字が他の図形と重なる場合は右図のように判断します。印刷したときに読みにくくなるあるいは誤読されるおそれがある場合は図形と重ならないようにするか、文字の周囲を切り抜きます。すなわち重なっていてもはっきり読める場合には重ねてもかまいません。しかしプリンタで印刷してみないと結果が分からないときは重ならないようにするか、字の周囲を切り抜いておくと無難です。

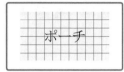

読みづらい

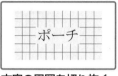

文字の周囲を切り抜く

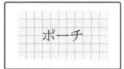

これなら重なっていてもよいが、建築CAD検定試験でこのような解答は難しい

寸法はレイアウトに注意してください。208ページで説明しているように寸法を描く位置を統一します。そのためには建物の位置が用紙のほぼ中央になるように図面を描きはじめる前に慎重に設定します。なお建物位置が用紙中央から大きくずれている場合は減点になります。

用紙の境界線

建物を用紙中央にレイアウトしている

IV

2級問題の解説・解法例

4 立面図

建築 CAD 検定試験の 2 級では詳細平面図は描けるが立面図で間違えるという人がたくさんいます。これは平面詳細図は平面図からほぼ機械的に作成できますが、立面図を描くにはある程度建築の知識が必要になるからです。特に屋根の形についての知識が必要で、屋根のことが分かれば立面図も機械的に描くことができます。そこで立面図の作成手順を説明する前に屋根に関してこれだけは知っておかねばならないということを説明します。

④-01 屋根の形式

建築 CAD 検定試験で出題される住宅の屋根の形式は片流れ屋根、寄棟（よせむね）屋根、切妻（きりづま）屋根、入母屋（いりもや）屋根とこれらの混合屋根です。また 1 階と 2 階の屋根が連続している大屋根（おおやね）もよく出題されます。さらに飾り屋根など装飾屋根もあります。しかしどんな形かは屋根伏図と透視図で正確に示されるので心配することはありません。

切妻屋根   寄棟屋根   入り母屋屋根

| 片流れ屋根 | 半切妻屋根 | 大屋根と飾り屋根 |

　本章の問題例（138 〜 142 ページの問題）の屋根は寄棟屋根と切妻屋根に大屋根と飾り屋根が加わった複合屋根です。

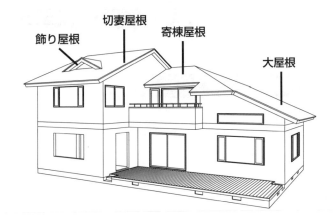

④-02
屋根の勾配

　屋根は雨水がスムーズに流れ落ちるように傾斜が付いてます。傾斜は角度でなく勾配（こうばい）で指定します。これは角度で指定すると施工が難しくなるからです。勾配は水平方向の距離を 10 としたときの高さであらわします。

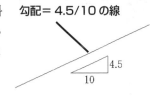

勾配＝ 4.5/10 の線

　勾配 = 4.5/10 は「4.5 寸勾配」あるいは「4 寸 5 分（ぶ）勾配」といいます。これは尺貫法による呼び方で長さ 1 尺（= 10 寸）に対する高低差を寸で表す方法です。
　次に例として 4.5 寸勾配の線の描き方を AutoCAD と Jw_cad の 2 つの CAD で説明します。

勾配線の描き方（AutoCAD の場合）

AutoCAD で勾配線を描くときは相対座標を使います。

❶【線分】ツールをクリックする
❷始点（A 点）をクリックする
❸コマンドウィンドウに〈@1000,450〉を入力する。もしダイナミック入力がオンならカーソルそばのフィールドに〈@1000,450〉を入力する

※座標の頭に「@」を付けると相対座標。ダイナミック入力では「@」を省略できます。

❹ スペース キーを押してツールを終了

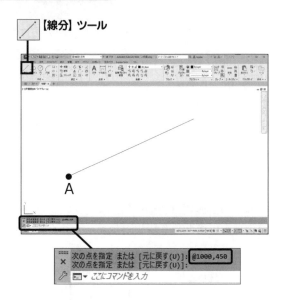

【線分】ツール

勾配線の描き方（Jw_cad の場合）

Jw_cad で勾配線を描くときは「傾き」を使います。

❶【線】コマンドをクリックする
❷「傾き」欄に〈//0.45〉を入力する
❸2 点をクリックして線を描く

【線】コマンド

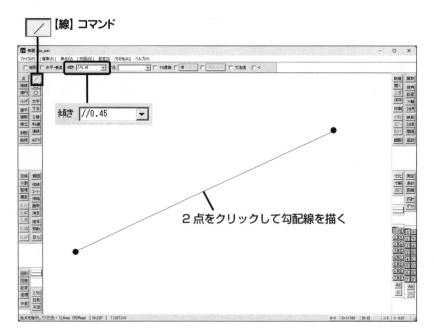

傾き //0.45

2 点をクリックして勾配線を描く

屋根の高さ位置

　屋根の高さ位置の基準を「軒高（のきだか）」といいます。軒高とは桁の上端の地面からの高さのことで、桁は屋根の垂木（たるき）を受ける構造材です。2×4建築なら壁の最上部にある頭つなぎが桁に相当します。

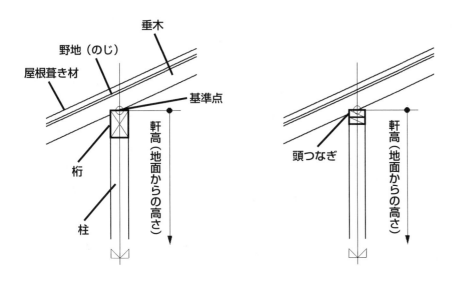

　実際の建物では左図のように垂木が高さの基準になりますが、軒天井など仕上げ材のことを考慮すると立面図を描くときかなり面倒になります。そこで建築CAD検定試験では簡略化して垂木ではなく仕上げ線で高さを指定しています（問題のX断面図を参照）。

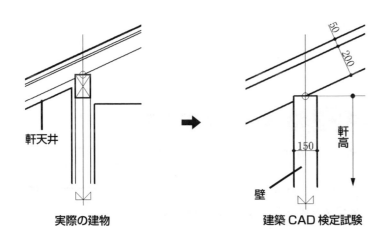

実際の建物　　→　　建築CAD検定試験

　一戸建て住宅では屋根の全体の形を屋根伏図で表現します。立面図を描くとき屋根伏図をもとに屋根を描きます。2級の建築CAD検定試験では立面図を描くので屋根伏図の読み方を知らなければなりません。

　図は例題の2階屋根伏図です。この屋根伏図を例にして屋根伏図の読み方を説明します。

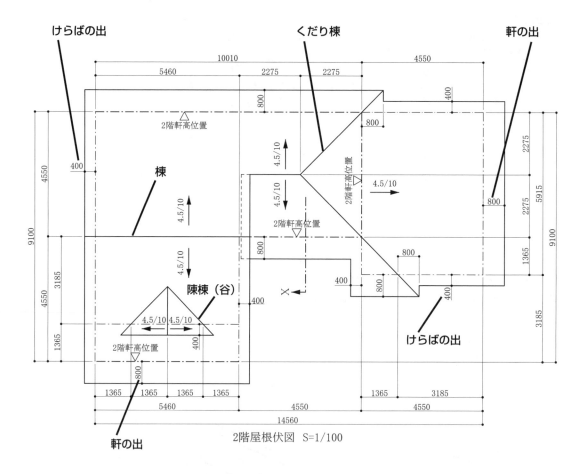

2階屋根伏図　S=1/100

屋根勾配

　屋根勾配は4.5/10で、雨水の流れる方向を矢印で表しています。

　くだり棟（むね）／隅棟（すみむね）の角度が45°のとき棟の両側の勾配は等しくなります。屋根伏図を描くときこの45°方向の線を利用すると手早く描けます。

軒高の位置

屋根伏図で外壁の位置を一点鎖線で描きます。寄棟屋根は外壁の位置が屋根の基準線になるのが普通です。切妻屋根は流れ方向と直交する外壁が基準線になるのが普通です。

建築 CAD 検定試験では 1 階 /2 階屋根伏図に軒高の位置が明記されます。

軒の出・けらばの出

屋根伏図に「軒の出」（のきので）の寸法が記されています。この軒の出がどの部分の寸法かを右図に示します。一般に軒先に樋が付きますが建築 CAD 検定試験では樋を無視します。軒と直角方向つまり流れ方向の端部を「けらば」といいます。けらばの寸法も屋根伏図に記されています。

軒の出

④-04
立面図作成の手順

立面図の作成手順を簡単に説明します。なおこの作成手順は参考例でこの通り描かねばならないということではありません。平面詳細図の完成後に南立面図を描くこととします。

❶平面詳細図を上部に移動し屋根伏図を描きます（立面図に必要な高さを記入）
❷平面詳細図から立面図に現れる壁の位置、屋根の位置を補助線を描きます
❸ X 断面図をもとに次の高さ基準線を描きます
・GL（Ground Line ＝地面の線）　・基礎上端の線　・1 階床の線
・1 階壁の上端（＝ 1 階軒高）の線　・2 階床の線　・2 階軒高の線（軒高＝ 5,650mm を確認）

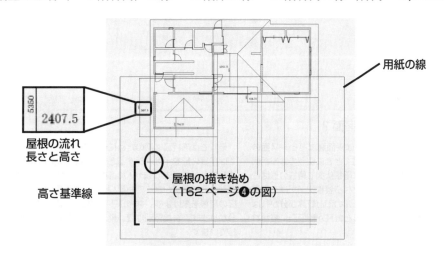

用紙の線

5350
2407.5

屋根の流れ
長さと高さ

屋根の描き始め
（162 ページ❹の図）

高さ基準線

壁を描く前に屋根を描きます。これは屋根の
ほうが難しく、線が少ないうちに描いたほうが
間違いは少ないからです。

❹基準点から勾配線を描き、図のように平行線
を描きます

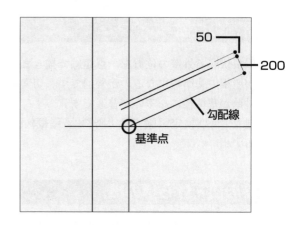

❺軒先を描きます

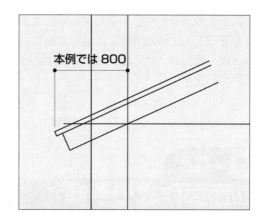

❻軒先から水平線を描きます

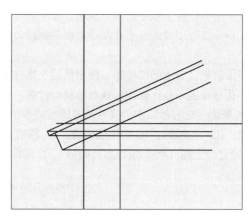

note

屋根を決定する図面はどの図面？

　建築CAD検定試験の2級試験では平面図など6〜7面の
図面があります。このうち屋根を描くときに使うのは屋根伏
図と断面図です。特に重要な図面は屋根伏図で屋根の形はこ
の図面だけで決まります。ベテランなら屋根伏図だけで屋根
の形をイメージできます。これに軒先の形と軒高が分かれば
立面図の屋根を描けます。軒先の形と軒高が断面図に描かれ
ています。

　それでは透視図は何のために付いているのか。屋根に関し
ては屋根の形をイメージするときの補助のためです。補助で
決して主役ではありません。慣れてくれば補助は不要です。
すなわち透視図がなくても屋根伏図と断面図さえあれば立面
図の屋根を描けます。なお床下換気口の位置と数は透視図で
分かります。また特別な壁、梁、下がり壁などは透視図に記
しています。

❼軒先を2カ所に複写します

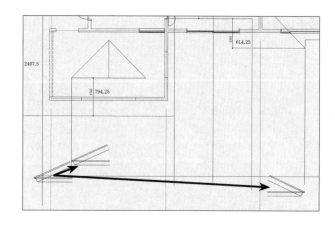

❽屋根を描き始めます

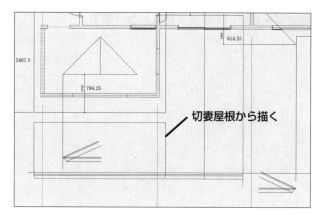

切妻屋根から描く

❾飾り屋根を描きます

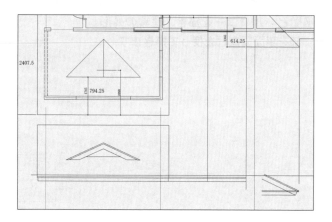

❿寄棟屋根を描きます

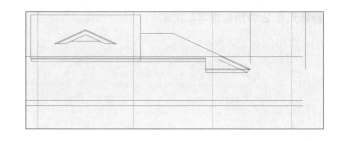

⓫大屋根を描いて屋根は完成となります

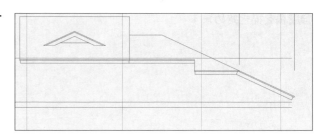

⓬壁とバルコニーを描き、建具の外形
　線を平面図などを使って描きます

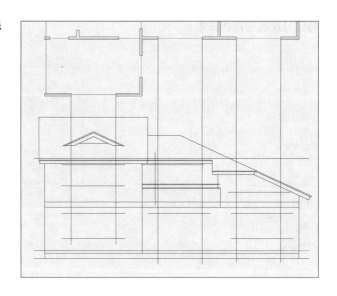

⓭建具を描き、バルコニーの手すり子、
　デッキとデッキ階段を描きます

⓮バルコニーで隠れる建具の部分を消
　去します

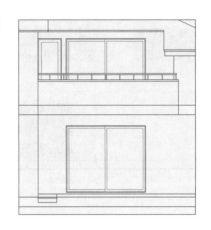

⓯床下換気口を描き、レイアウトを整
　え、そのあと GL 線を強調します

　床下換気口は住宅技術の進化により
過去のものになりつつあります。しか
し建築 CAD 検定試験では試験の 1 つ
の要素として残しています。
　床下換気口の位置は透視図から読み
取れます。床下換気口の位置は建具
の中心に合わせるか、建具の中心から
910mm の位置に配置しています。階段
などとぶつかる場合は透視図にその位
置を寸法で明記しています。

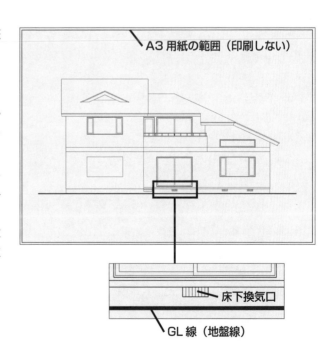

⓰図面タイトル「南立面図 S=1/50」を所定
 の位置に描く

　以上で解答の図面は完成しました。余裕があれば屋根面のハッチングやガラス部の塗り潰しを行います。ハッチングと塗り潰しが無くても減点されませんし、印象点にも影響しません。

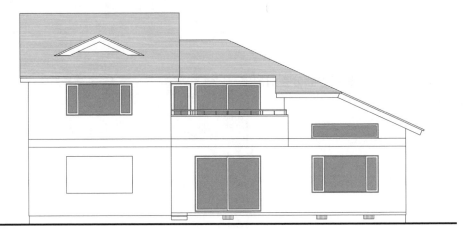

南立面図 S=1/50

4-05
立面図の補足

　立面図は平面詳細図ほど密度が高くないので、それぞれの線が重要です。サイズや形を間違えないように慎重に描きます。

屋根

　屋根の軒先の形をきちんと描いてください。だいたい合っていればよいだろうと、いいかげんに描くと減点されます。

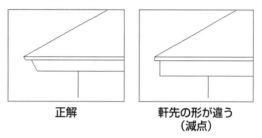

正解　　　　　軒先の形が違う
　　　　　　　（減点）

　屋根のけらば（側面）の形は寸法の指定がないので図のどちらでもかまいません。

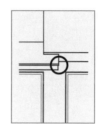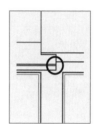

サッシュ

　サッシュの枠と框は平面詳細図とサイズを合わせます。下框と上框は縦框とサイズが違っていてもかまいません。ただし現実的なサイズとします。

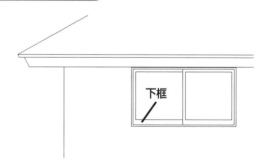

下框

　実際には西壁と東壁のサッシュが見えますが、描く必要はありません。

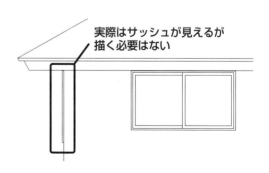

実際はサッシュが見えるが
描く必要はない

玄関扉

玄関扉の模様（デザイン）あるいはレバーハンドルなどの金物や開閉記号を描いてもかまいませんが採点に影響しません。

床下換気口

床下換気口はサイズ（400W × 150mm）とおおよその位置が正しければOK です。

床下換気口の表現。いずれも OK

V 章

准 1 級試験について

　准 1 級試験は 3 級試験と同じようにトレース試験です。しかし 3 級試験よりはるかに大量の図形を描かねばならず、しかも 8 ～ 9 割の完成度では不合格という厳しい試験です。

　単に CAD で速く描けるというだけではダメで、相当に工夫をしなければなりません。工夫といってもシンボル図形や自動製図あるいはマクロなどの機能は使えないので（試験のルール）、CAD の基本機能だけでいかに速く描くかの工夫です。

准 1 級試験について

1. 概要

　准 1 級試験は団体受験と一般受験の両方を年 1 回実施しています。

　准 1 級試験は単純なトレース試験です。3 級試験もトレース試験ですが准 1 級の方は量と時間の両方に高いハードルを設定しています。具体的には縮尺が 1/200 の A3 判図面を 4 面、たとえば 1 階平面図、2 階平面図、基準階平面図、断面図の 4 面を 3 時間 30 分でトレースするものです。図面密度と分量は 69 ～ 72 ページに掲載した図面とほぼ同じです。

　問題の図面は試験開始の 30 分前に配布します。そして試験開始までの 30 分間で図面を読み取り、メモをし、入力手順の計画をします。ただし試験開始までのこの 30 分間に図形の入力（寸法・文字の記入を含む）は絶対にしてはなりません。

　准 1 級試験が目指すところは CAD を単に使えるというだけでなく、社会で即戦力になる実力を持ち、CAD を上手に使うための工夫を独力でする知力を持っている人材であるかを判定し認定するところにあります。

2. 合格の基準

　准 1 級試験は 3 時間 30 分という時間内に確実に図面を描けるかどうかを試験するものです。2 級～ 4 級の試験では採点結果が基準の点数（これは試験問題の難易度により変わります）より高い点なら合格しますが、准 1 級にこのような基準の点数はなく、ほぼ完璧に図面を描けなければ合格しません。時間不足で描けないところが少しでもあれば不合格です。なお「ほぼ完璧」の「ほぼ」の意味は「不注意による少量のミス」は容認する（合格する）という意味です。ミスが多量にあれば不注意以外の原因があると思われますので不合格になります。そしてミスが不注意か理解不足によるものか、ミスの量が少量か多量かは合格判定者の判断によります。准 1 級試験の採点と合格判定はいまのところ筆者が担当しています。

3. 試験時間について

　試験の作図時間の 3 時間 30 分はかなり厳しいものです。この 3 時間 30 分という時間はもともと一級建築士試験の設計製図試験の試験時間を参考にしています。一級建築士試験の設計製図試験の時間は 5 時間 30 分でしたが、エスキース（設計）が約 2 時間、製図（手描き製図）が約 3 時間 30 分に割り振るのが普通と言われていました。

　この 3 時間 30 分で一級建築士の解答例の図面を CAD で描けるかをテストしてみたところ、CAD を使える人がきちんと準備すれば可能ですが、実務で毎日 CAD を使っていて図面を描くのが速いといわれている人でも準備をしなければ無理ということが見えてきました。このことと准 1 級試験が目指すところから「3 時間 30 分」という時間を設定しました。

なお一級建築士試験の設計製図試験の時間は平成21年度から1時間伸びて6時間30分になりました。これは従来の試験内容に構造設計と設備設計の内容が加わったためです。しかしこのことにより建築CAD検定試験の准1級試験の図面の分量と試験時間が変わることはありません。

4．課題の建物の用途

　准1級試験で出題する図面は1つの建物でA3判で4面あります。4面のうち3面（あるいは2面）は平面図で残りが断面図、立面図あるいは梁伏図（はりふせず）です。縮尺は1/200で企画設計段階の図面です。図面にする建物の用途は一級建築士試験で過去に出題された問題を参考にして作成し出題します。そこで平成30年から5年間の一級建築士試験で出題された建物用途を示します。

平成30年	健康づくりのためのスポーツ施設
令和元年	美術館の分館
令和2年	高齢者介護施設
令和3年	集合住宅
令和4年	事務所ビル

　以上のように、用途はさまざまで複合用途の建物もあります。准1級試験の課題建物が、一級建築士の過去の試験問題の課題から必ず出題するとは限りませんが、同じ傾向の問題になるのは確かです。ですから准1級試験の受験準備の練習をするとき、JAEIC（建築技術教育普及センター）のサイトで公開されている一級建築士試験の「過去の試験問題等」の「標準解答例」をトレースすることが最も有効ですし、検定試験だけでなく将来の仕事にも役に立つ知識を得られます。

5．問題について

　次に示す「問題」は准1級試験問題(69〜72ページ)に付随するものです。「問題」の「補足説明」には解答するときのルールが書いてあり、とても重要ですので注意深く読んでください。そして補足説明の内容は毎年同じというわけでなく、少しずつ変わりますので、過去の問題を読んでいるからといって勝手な思い込みで試験に臨むのは禁物です。

問題
　　1．CADを用いて課題の4枚の図面をトレースせよ。

補足説明
　　1．課題の建物は鉄筋コンクリート造で地上3階建て、用途は「高齢者介護施設」である。
　　2．敷地の大きさは間口51メートル、奥行36メートルである。図面の下方向が南の方向である。
　　3．A3判（横使い）の用紙を4枚用い、それぞれに「1階平面図・配置図」「2階平面図」

「3階平面図」「X-X断面図」をトレースすること。

4. 課題の図面に描かれているものは外構、家具を含めてすべて記入すること。ただし右上にある問題番号は枠とも記入しないこと。

5. 用紙枠（四角形）の大きさは78000×54400mmで右下に受験番号・氏名を記入する欄（15000×1500mm）を描くこと。

6. 4枚の図面とも、受験番号と氏名を右下の欄に記入すること。

7. 図面密度は課題の図面と同程度とする。

8. 角柱のサイズは600×600mmとし、壁の厚さは200mmおよび100mmである。

9. トイレブースは単線で描くこと。

10. 各図面で位置やサイズを指定していない部分は、課題図面と大きく違わなければよい。

11. 壁・建具（サッシュ、ドア）・設備機器・家具・外構を描くとき、シンボル・部品図形・自動作図・ブロック・ライブラリなどの使用を禁じる。

12. 各図面のCADデータは別ファイルとする。すなわち4ファイルを提出すること。

13. 保存ファイル名は、受験番号に「1階平面図・配置図」：-01、「2階平面図」：-02、「3階平面図」：-03、「X-X断面図」：-04を加えたものとする。
（例：3220000-01，3220000-02，3220000-03，3220000-04）

14. 監督者が指定するメディアに、解答図面データ（4ファイル）を保存し、提出すること。

15. いずれかの図面が完成していない場合は、採点対象外になる。完成とは図形・文字・寸法のすべてを記入していることだが、記入漏れが不注意によるものと判定される場合は完成とみなす。

以上

　この問題文でのポイントは「11」と「15」ですので少し説明します。

(1)「11. 各図面で位置やサイズを指定していない部分は、課題図面と大きく違わなければよい」

　位置やサイズを指定している部分とは、問題文の8と図面に記入している寸法だけです。ですから多くの部分がこの「11」の文言に当てはまります。そしてここが解答のスピードアップの工夫のしどころになる部分です。たとえば後述する各部のサイズの参考図を記憶すればそれだけでかなりの時間短縮になります。

　なぜならば記憶した参考図と課題図面にある図形と少し違っていてもよいのです。すなわち「大きく違わなければよい」という問題文に当てはまります。検定試験の最中に細かいところまでスケールを当ててサイズを測っている受験生を見かけますがこれでは合格は無理です。記憶した図と課題図面との違いを瞬時に目視で確認して、違いが少ないと判断したら記憶した図を入力します。これが合格への第一歩です。

(2)「16. いずれかの図面が完成していない場合は、採点対象外になる。完成とは図形・文字・寸法のすべてを記入していることだが、記入漏れが不注意によるものと判定される場合は完成とみなす」

　准1級試験については、他の級と違って採点基準を公表していません。なぜならば公表するような基準が無いためもありますが、問題文の最後のこの項目が、准1級試験の採点基準そのものだからです。また書くまでもないことですが、極端に太い線（隣の線とくっつくぐらい）やほとんど見えない線の「提出図面」は採点できないため不合格になります。

　受験生にとっては未完成なところがあっても準備も試験も目一杯頑張ったのだから、この努力を認めてほしいという思いがあるかもしれません。しかし准1級試験が建築CAD検定試験の最高位にあることから甘えや言い訳を受け入れる余地はありません。

6.作成手順の計画

　准1級試験では図面の作成手順の計画も大事です。このことを1階平面図、2階平面図、基準階平面図あるいは梁伏図を要求されたときを例にして、手順を考えてみます。

　一般には1階平面図が完成したら、これを2階用としても保存し1階と異なる部分を修正しながら2階平面図として仕上げると思いますが、この手順が准1級試験に適しているとは思えません。

　1階平面図を作成するときに2階でも共通の部分を先に描きこれが出来上がった段階で2階用として保存し、同じく2階用で少し作業をして基準階用に保存するというように、各階平面図の作成の全体を見越して作図手順を計画します。共通の部分とは躯体、階段、エレベータ、PS、DSなどで、これらを先に描きます。

　図はある問題で2階用に保存する段階のものです。便所も描いていますが、これは2階にも同一位置に便所がある場合です。また不要なところにも壁を描いていますが、これは柱間のすべてに壁を一気に記入しているためです。CADでは個々の壁を描くことより、一気に描いてそのあと不要なものを削除するほうが簡単だからです。図では文字と寸法を記入していませんが、先に文字／寸法を記入したほうが良いと思えば記入してください。このあたりは人それぞれの個性が現れるところです。

　以上が作成手順の計画の一例です。この他にも手順を計画したほうがよいところが多数ありますが、これらは他人に聞くことではなく受験生各自が考え、試行して確かめながら身につけてください。他人（先生や先輩）に頼るようではいつまでたっても実力が身につきませんし、准1級試験に合格するのも難しいでしょう。

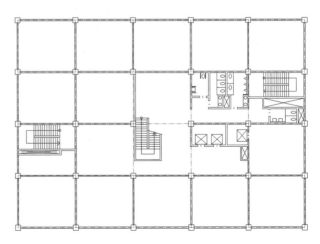

7.CADの使い方

　CADの使い方については、使用するCADが持っている機能、図面作成機能と修正機能のすべてに精通するのがまず最初にすることです。さらにその先に2つの工夫が必要になります。

◆コマンド／ツールの起動

　CADにはコマンド／ツールの起動に各種の方法が用意されているものですが、どの方法が短時間に起動できるかを見極めてそのうえで使う方法を決めて、身につけてください。たとえばAutoCADなら、「ツールアイコンをクリックする」「コマンド名を入力する」「エイリアスを入力する」「ショートカットキーを押す」と4種類の方法があります。これらのうちどれが一番速いか、どんな準備が必要かを含めて検討してください。

◆疲れない方法を見つける

　准1級試験は図面の読み取り・作成計画を含めると4時間という長時間の試験で、この間ほとんど息抜きする時間がありません。このため緊張を強いるような高度なテクニックより、確実かつミスが出にくいテクニックを身につけてください。具体的にはレイヤ（画層）の活用や、各種の作図補助機能、あるいは文字／寸法記入などが工夫のしどころです。

8.練習の目標

　准1級試験の練習の目標は他の級の練習と違って単純ですし、自分で合格したかどうかを判定できます。試験時間が3時間30分ですので、練習中は3時間を目標にしてください。すなわち練習用の図面を確実に3時間以内に描ければ、ほぼ間違いなく合格します。練習用の図面とは本書に掲載した2023年の問題（69～72ページ）や先に紹介した（171ページ）標準解答例のことです。なお一級建築士試験の標準解答例はA2判用紙1枚に4面の図面を描くようになっていますが、これをA3判用紙4枚に1面ずつ描いてください。

9.各部の参考図

　最後に各部のサイズ（大きさ）の参考図を示します。これらの参考図に示したサイズを記憶しておけば前述したように製図時間を大幅に短縮することができます。なお記憶するサイズはここに示したサイズでなくてもかまいません。普通のサイズならよいのです。「普通」とは「異常でない」という意味で神経質にならないようにしてください。

(1) 階段

准1級試験の図面は企画段階の図面ですので細かい検討は基本設計以降に先送りしてよいのですが、各種法律に適合するためのスペースだけは確保しておいたほうがよいので、問題もそのように計画しています。

階段はバリアフリー新法（高齢者、障害者等の移動等の円滑化の促進に関する法律。ハートビル法の後継法）に規定されている次のサイズを頭に入れておくことをお勧めします。

蹴上げ	160mm 以下
踏面	300mm 以上
幅	1,400mm 以上

以上のことから階高が4,000mm なら昇りきり25段（4000 ÷ 160=25）以上の段数にすればOK です（図の階段は昇りきり26段）。

図は階段の範囲が7,000 × 3,500mm の場合で、この図の各数値を覚えておけば7,000 が7,500や8,000 になっても慌てることなく対応できるはずです。

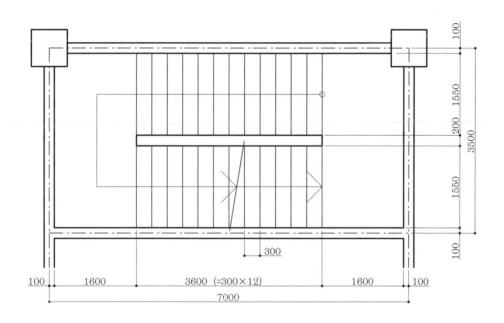

右図で○を付けた部分の表現は1/200 の縮尺ならA、B のどちらでもかまいません。とすれば短時間に描けるA のほうをお勧めします。

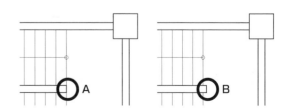

(2) エレベータ

エレベータは工場で生産しますがサイズが決まっているわけではなく原則自由です。しかし標準サイズがあるのでこれを覚えます。次の表はあるメーカーのカタログに載っている標準寸法です。一級建築士試験では定員13人のエレベータが使われることが多いので、定員13人の数値を記憶することをお勧めします。

定員	定格速度 （m/分）	かご内法 寸法 A × B	出入口幅 W	昇降路内法 X × Y	昇降路内法 （2台併設） X × Y
6 人	90 または 105	1400 × 850	800	1850 × 1550	3750 × 1550
9 人	90 または 105	1400 × 1100	800	1850 × 1800	3850 × 1800
11 人	90 または 105	1400 × 1350	800	1850 × 2050	3850 × 2050
13 人	90 または 105	1600 × 1350	900	2150 × 2150	4450 × 2150
15 人	90 または 105	1600 × 1500	900	2150 × 2300	4450 × 2300

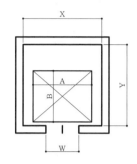

(3) 便所の機器

便所の機器もメーカーのカタログを参考にして覚えます。繰り返しますが図はあくまで一例です。このサイズにしなければ採点で減点するということは絶対にありません。そもそも准1級試験の判定では他の級でいう減点という概念がありません。

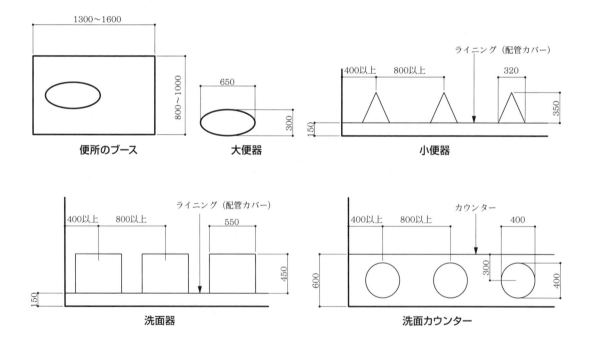

掃除用の「雑巾流し」も洗面器と同じサイズと覚えます。

(4) 外構図用

外構図用として覚える図形は駐車スペースや駐輪スペースなどです。

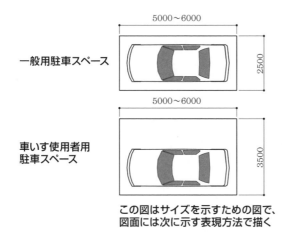

一般用駐車スペース

5000〜6000

2500

車いす使用者用
駐車スペース

5000〜6000

3500

この図はサイズを示すための図で、
図面には次に示す表現方法で描く

駐車スペースの表現方法は次の A と B、2 タイプが考えられますがどちらでもかまいません。

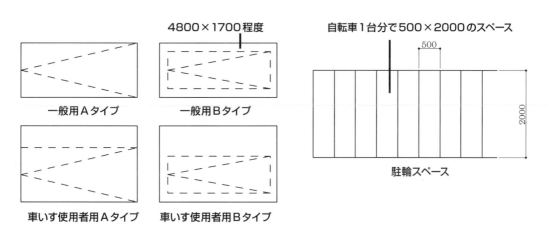

一般用Aタイプ

4800×1700程度

一般用Bタイプ

自転車1台分で500×2000のスペース

500

2000

車いす使用者用Aタイプ

車いす使用者用Bタイプ

駐輪スペース

出入口マークのような記号類はサイズを決めておかないと試験中に手間取ることになります。

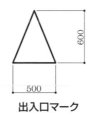

600

500

出入口マーク

MEMO

VI 章

建築 CAD 製図 Q&A

建築 CAD 製図に関して知っていなければならない
こと、知っていたほうがよいことについて Q&A（質
問と回答）の形式で説明します。

本書は「建築 CAD 検定試験」の解説を主な目的に
していますので、この試験に関係ない項目については
原則として触れませんが、建築製図を仕事として行な
うのに常識として知っておいたほうがよいことはなる
べく取り上げることにします。

また建築 CAD 製図と「CAD」という言葉を付け
ています。この「建築 CAD 製図」には手描き製図（鉛
筆書き製図）の場合にも当てはまることと、CAD 独
特のことの両方が含まれますが、手描き製図のみに関
わることには触れません。

1 建築製図について

どこの設計機関（設計事務所や施工会社）でも設計図を描くルールがあります。これらルールの根拠はあるのでしょうか。法律で決められているのでしょうか。この基本的な問いかけからスタートします。

 1-01

何のために
図面を作成するのでしょうか

A 建築を自分で設計し、自分で工事をするなら必ずしも図面は必要ありませんが、現実にそんなことはあり得ません。1つの建物を作ることに大勢の人が参加しますので、どんな建築を作るのかを、皆に知らせる必要があります。知らせるのに各種の方法がありますが、最も適しているのが図面を用いる方法です。

図面は情報を伝えるメディアであり、確実なコミュニケーションをするためのものです。

 **1-02**

建築図面の描き方は
法律で決まっているのですか

A 建築図面の描き方に関する法律はありません。建築図面の描き方に関するガイドラインが何種類かあります。有名なものに**JISの建築製図規格**や、国土交通省が発注する工事用の「**建築CAD図面作成要領（案）**」（平成14年11月改訂版）などがあります。

JISの建築製図規格って何ですか

JIS（ジス。Japanese Industrial Standard）とは**日本工業規格**のことで、工業製品の品質規格を定めたものです。工業製品を製造するのに図面が必要で、この図面の描き方がJISにあります。

* * *

建築の多くは現場で一品生産するので、工業製品とは性格がかなり異なります。しかし建築も工業製品のように品質を高めるためには設計図からきちんとしなければならないということで、JISに建築製図規格ができました。

JISの製図規格は1930年からありますが（当時はJES）これは機械や電気分野の設計用で、建築用は1961年にはじめて制定されました。その後、何回か改訂され、1999年に大改正されたものが最新版です。この1999年版（JIS建築製図通則A 0150:1999）は、国際規格の**ISO（国際標準化機構）**を日本語に翻訳したものに日本独自の規格を加えたものです。ですからJISの規格に合わせて描いた図面なら、文字以外の部分はそのまま国際的に通用する図面になると言ってよいでしょう。

VI

建築CAD製図Q&A

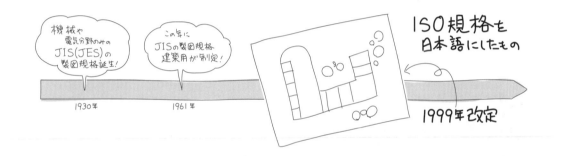

JISの建築製図規格は、どうすれば入手できますか

建築製図規格に限らずJISの内容は**日本規格協会グループ（JSA）**で購入できますし、同グループのサイト（https://www.jsa.or.jp/）で冊子またはPDFファイルを購入できます。

しかしJISの条文を生のまま読むより、解説付きの参考書を購入することをおすすめします。参考書として有名なのは「建築製図-JISの製図規格／解説」日本建築家協会編・彰国社刊（2,640円（税込））です。

JSAのホームページ

建築図面はJISの製図規格に合わせなければならないのですか

A 建築図面の描き方は慣行による方法が一般的です。そして設計事務所や建設会社、デベロッパー、ハウスメーカーなど、それぞれ独自の製図ルールを作成して運用しています。ですから所属する設計機関あるいは発注者（クライアントや元請会社など）が指定する描き方に従うことになります。

しかしそれらの製図ルールはばらばらかというとそんなことはなく、大変に似通ったもので、JISの製図規格と大きな違いはありません。

もし建築製図をこれから勉強しようとするならJISの製図規格に従うとよいでしょう。というのはJISの製図規格は国際規格（ISO）とほぼ同じで、設計事務所や建設会社もいずれ国際規格に合わせざるを得なくなるからです。ただしJISの製図規格には線の太さや矢印のサイズなど実状に合わないものも含まれています。

JISの製図規格に CAD製図の規格が含まれていますか

A JISの製図規格では手描き製図（JISの用語では「鉛筆書き製図」）とCAD製図を区別していませんが、線の太さなどにCADを前提にしているところがあります。ただし、レイヤ名やファイル名の命名規則や線の色といったCAD製図に独特の項目はありません。

CAD独自の項目は「**CALS/EC**」の電子納品の各種ガイドライン、たとえば国土交通省大臣官房官庁営繕部の「**建築CAD図面作成要領（案）**」（平成14年11月改訂版）にあります。また電子納品に用いるファイル形式として「**SXF（またはP21）**」が用いられることが今後多くなるかもしれません。そうなると「SXF（またはP21）」の仕様を意識してデータを作成する必要が出てきます。ただし電子納品の知識は現在のところ建築CAD検定試験に不要ですので本書では触れません。もし電子納品について勉強したいならインターネットのCALS/EC関連サイトをご覧ください。

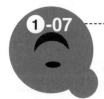

1-07

建築CAD検定試験は 何かの製図規格に従っているのですか

A 建築CAD検定試験は主に受験者が CAD（2次元）を修得しているかどうか を判定するための試験です。このため製図方 法に関しては、製図規格に従っていなければ ならないということはなく、試験問題に書かれ ている注意書き（補足説明）に反していなけれ ば問題はありません。逆に普段はこう描いてい るからと、注意書きに反して製図すると減点さ れます。

② 線の太さ

建築製図に用いる線の太さ（線幅）はとても重要です。設計図は一般にモノクロ（白黒）です。すなわち色を使えないので、描いた線が何を意味するかを明確に伝えるためには「線の太さ」と「線種」を変えること、およびハッチングしか表現方法がありません。特に線の太さは重要で、これによって下地と仕上げを区別したり、断面線と外形線を区別したりします。いまのところ線の太さは建築CAD検定試験の評価対象に入っていません（准一級試験については173ページ参照）。しかし線の太さによって図面が美しいかそうでないかが変わるので詳しく説明します。

2-01

JISの「線の太さ」の意味がよくわからないので説明してください

A JIS（JIS Z 8312:1999）には次のように書かれています。

> すべての種類の線の太さは、図面の大きさに応じ次の寸法のいずれかにする。この数列は、公比を√2（約1.4）としている。
> 0.13mm、0.18mm、0.25mm、0.35mm、0.5mm、0.7mm、1mm、1.4mm、2mm
> 極太線、太線および細線の太さの比は4：2：1である。1本の線の太さは、全長にわたって一様でなければならない。

この文章はわかりにくいので説明します。

「図面の大きさに応じ」というのは、図面の大きさ、すなわち用紙サイズ（A1判とかA3判とか）によって使用する線の太さを変えても

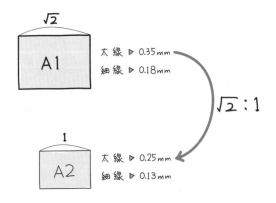

よいが、リストにある線の太さを使いなさいという意味です。たとえばA1判なら太線を0.35mm、細線を0.18mmに、A2判なら太線を0.25mm、細線を0.13mmにするという意味です。しかし建築製図で用紙サイズによって線の太さを変えることは、極めて特殊な場合です。

それではなぜJISにこのように書かれているかというと、たとえば機械の設計図をA1判に描き、これをマイクロフィルムを用いてA2判に縮小したとします。すると線の太さも縮小され、0.35mmの線は0.25mmに、0.18mmの線は0.13mmになります。なぜならばA1判とA2判の長さの比が√2：1だからです。JISで線の太さのリストで公比が√2になっている理由は用紙サイズを拡大／縮小しても同じ太さがリスト

にあるようにするためです。

　線の太さの公比が√2になっている理由は上記の通りですがそれでは実質的にどんな意味があるかというと、これは製図ペンを用いて製図するときに意味があります。製図ペン、たとえばロットリングの「イソグラフIPL」のペンは0.1mm、0.13mm、0.18mm、0.2mm、0.25mm、0.3mm、0.35mm……とJISのリストにある線の太さがすべて含まれています。これにより縮小した図面を加筆修正するときでも、同じ太さのペンがあるので困らないというわけです。

　なお、建築製図では縮小図面で修正することはまずあり得ませんし、ましてCADを用いる場合には出力図で修正することは禁物です。必ず元データを修正するのが原則ですので線の太さの公比が√2になっているメリットはありません。しかしJISの線の太さは国際規格と同じですので、本書でもこの太さを用います。

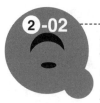

2-02 Q　線の太さの意味はわかりましたが、それなら太線・細線は何mmにすればよいのでしょうか

A　線の太さは、実際に図面を描き、プリンタ／プロッタ出力して確かめてから決めるのが原則ですが、筆者の経験から次のようにするのが良いと思います。

極細線	0.05mm
細線	0.09mm
中線	0.18mm
太線	0.25mm
極太線	0.35 ～ 0.5mm

　以上、5種類の線の太さのうち図形に用いるのは太線・中線・細線・極細線の4種類です。極太線は特に強調したいときに用いる線です

が、まれにしか使いません。極細線は寸法線やハッチングに使います。

　JISでは極太線・太線・細線の3種類の線を用いると書かれています。CALS/ECの電子納品の土木の**「CAD製図基準（案）」**（国土交通省 平成16年6月）でも同じです。

　極太線・太線・細線の3種類とすると実際に使えるのは太線と細線の2種類だけとなり建築図面の表現に不足します。このため建築CAD検定試験では極細線と中線を含めて4種類の太さの使用をすすめています（採点に影響しません）。

note

線の太さは出力機器（プリンタ／プロッタ）に出力した結果から決めるべきものです。CADで線の太さを変えていても出力したら同じ太さになるとしたら変えた意味がありません。
　たとえば筆者が使用しているインクジェットプリンタ（EPSON EP-976A3）で高品質印刷（スーパーファイン）すると右記のようになります。CADはAutoCADを使用しました。

● 0.0mm*と0.05mmが同じ太さに印刷される
● 0.09mm、0.13mm、0.15mmが同じ太さに印刷される
● 0.18mmと同じ太さに印刷される線はない
● 0.20mmと0.25mmが同じ太さに印刷される
● 0.30mmと0.35mmが同じ太さに印刷される

* AutoCADで線の太さを「0.0mm」にすると出力機で可能な最も細い線で出力されます。

2-03

4種類の線の太さの それぞれの使い分けを教えてください

A まずJISの規定を表にまとめてみます。この表を見ると、線の 太さの種類が少ないために苦労しているように思えます。

部位	線の太さ	備考
断面の外形線	太線または極太線	
見える部分の外形線	細線または太線	断面の外形線より細くする
基準線	細線、太線、極太線	
見える部分の外形線における異なる材料の境界線	太線または細線	
傾斜した床、屋根（傾斜方向）	細線	矢印
階段（平面図）	細線	
階段の方向線	細線	最下部に白丸、最上部に矢頭
階段の切断線	細線	ジグザグ付き
斜路（スロープ）	細線	
斜路の方向線	細線	最下部に白丸、最上部に矢頭
戸および窓	太線または細線	
輪郭線（図面枠の線）	極太線	最小 0.5mm
寸法線	細線	
寸法補助線	細線	
引出し線	細線	
ハッチング	細線	

※この表は「建築製図通則（JIS A 0150:1999）」、「製図—表示の一般原則—線の基本原則（JIS Z 8312:1999）」、「製図—投影法—第1部通則（JIS Z 8315-1:1999）」、「製図—図形の表し方の原則（JIS Z 8316:1999）」を元に作成しました

次に筆者が使用している線の太さを表で示します。これは建築 CAD検定試験の問題で使用している線の太さとほぼ同じです。

部位	線の太さ	備考
断面の外形線	太線 *	
見える部分の外形線	細線 *	
基準線	細線 *	
見える部分の外形線における異なる材料の境界線	中線または細線 *	
傾斜した床、屋根（傾斜方向）	中線 *	矢印
階段（平面図）	細線 *	
階段の方向線	極細線 *	最下部に白丸、最上部に矢頭
階段の切断線	細線	ジグザグ付き
斜路（スロープ）	細線	
斜路の方向線	極細線 *	最下部に白丸、最上部に矢頭
戸および窓	中線、細線、極細線 *	
輪郭線（図面枠の線）	太線 *	
寸法線	極細線 *	
寸法補助線	極細線 *	
引出し線	極細線 *	
ハッチング	極細線 *	

＊付きは JIS と異なるところです

「断面」とは下のパース図で太線で描いた部分です。

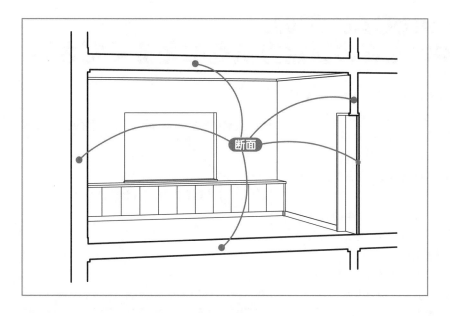

断面

「見える部分」とは断面以外の部分で、描く方向から見えるところを言います。下図はパース図で示した部屋の展開図です。

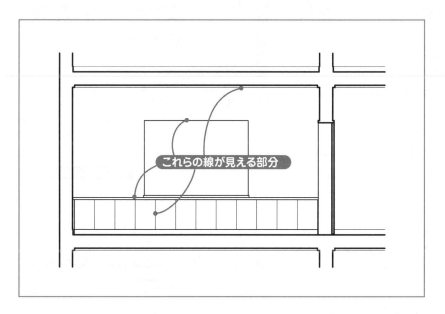

これらの線が見える部分

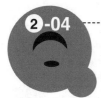

Q 2-04 AutoCADでの、線の太さの設定方法を教えてください

A **AutoCAD**（本章の図の多くはAutoCAD 2012のものですが内容は最新版の2023と同じです）では線の太さをレイヤ（画層）に設定しておきます。このようにしておけば、あるレイヤに図形を描けば自動的に線の太さが決まります。

レイヤに設定しないで図形ごとに線の太さを変えることもできますが、この方法はミスしやすいので普通は使いません。

それではレイヤに線の太さを設定する具体的な操作手順を紹介します。例として「Body」という名のレイヤを新たに作り、線の太さを0.25mmに設定します。

❶【画層プロパティ管理】ツールをクリックする
❷「画層プロパティ管理」パレットの 新規作成 をクリックする
❸新しいレイヤができるのでそのレイヤで
　◆[名前]を**Body**に変える
　◆[線の太さ]で「0.25mm」を選択する
❹パレットを閉じる

note

レイヤのことをAutoCADでは「画層」と呼んでいます。しかし本書では一般的な「レイヤ」という用語を使います。

❶ 【画層プロパティ管理】ツール

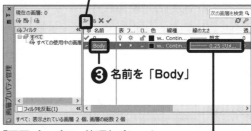

❷「新規作成」

❸ 名前を「Body」

「画層プロパティ管理」パレット

❸

今、作った「Body」画層に図形を描くには画層リストを出し「Body」画層の名前のところをクリックします。

これにより「Body」画層が現在画層（カレントレイヤ）になり、以後、描いた図形は「Body」画層におかれ、線の太さが0.25mmになります。

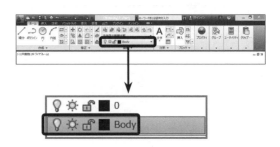

なお[画層]ツールの「画層プロパティ管理」パレットで画層の線の太さを変えると、その画層にある図形の線の太さが一斉に変わります。ただし図形に個別の線の太さを設定している場合は画層の線の太さを変えてもその図形は変わりません。

次に個別の図形の線の太さを変えたいときの操作方法を説明します。

❶図形を選択する
❷[ホーム]タブの[プロパティ]パネルの【線の太さ】をクリックしてリストから変更後の線の太さをクリックする

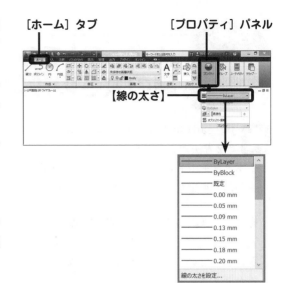

[ホーム]タブ　　　　**[プロパティ]パネル**

【線の太さ】

	ByLayer
	ByBlock
	既定
	0.00 mm
	0.05 mm
	0.09 mm
	0.13 mm
	0.15 mm
	0.18 mm
	0.20 mm
	線の太さを設定…

> **note**
>
> 1 「線の太さ」のリストにある [ByLayer] は画層に設定している線の太さです。
> 2 [既定] は0.25mm（0.1インチ）です。これは「オプション」で変更できますが変える必要はないと思うので説明を省略します。

VI

建築CAD製図 Q&A

2-05

Jw_cadでの、 線の太さの設定方法を教えてください

A Jw_cadの線の太さの設定方法はデフォルトの方法と実寸で指定する方法の2方法が用意されているため、少しわかりにくくなっています。

まずデフォルトのJw_cadの方法から説明します。なお「デフォルト」とはユーザーが何も設定しない場合（Jw_cadをインストールしたまま）という意味です。

線の太さは線の色で指定します。線の色は「線色1」～「線色8」の8色がありそれぞれに線の太さが対応しています。これがどこで定義されているかをまず見てみます。

❶メニューの【設定】→【基本設定】をクリックする

❷「jw_win」ダイアログの[色・画面]タブをクリックする

右半分にプリンタ出力用の線色のリストがあり「線幅」欄が線の太さをあらわします。

「線幅」欄に1～8の数字が入っていて、この数字が大きくなるほど線が太くなります。

この数字がどの程度の太さに相当するか、プリンタで印刷してみるとわかりますが、次の実寸で指定する方法のほうが現実的ですのでこれ以上の説明は省略します。

次に線を実際の太さで指定する方法を説明します。

❶メニューの【設定】→【基本設定】をクリックする

❷「jw_win」ダイアログの[色・画面]タブをクリックして次のように設定する

◆[線幅を表示倍率に比例して描画]にチェックを入れる

◆[（印刷時に）]にチェックを入れる

※この2項目をオンにすると線の太い／細いが拡大表示で確認できる

◆[線幅を1/100mm単位とする]にチェックを入れる

Jw_cadの線の太さのデフォルト設定

> **note**
>
> 線の太さをデフォルトのまま使うと以下の問題点があります。
> ◆一般に建築CADを設計（デザイン）で使うなら白い画面に黒い線で描くものだが、色で線の違いを表示させると薄い色は見辛く現実的ではない（デフォルト設定には薄い色が含まれている）
> ◆デフォルトではプリンタ出力も色で線を区別しているが、これは昔使われていたペンプロッタなら意味があるが、現在のようにラスタープロッタやプリンタで出力するときにはほとんど意味がない

線の色を黒にしている

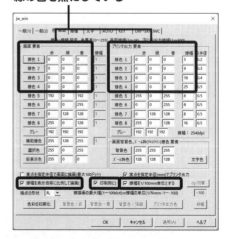

◆プリンタ出力要素の[線色1]〜[線色4]の[赤][緑][青]をすべて〈**0**〉にする（これで黒色になる）

◆同じく[線色1]の[線幅]=〈**5**〉

◆同じく[線色2]の[線幅]=〈**9**〉

◆同じく[線色3]の[線幅]=〈**18**〉

◆同じく[線色4]の[線幅]=〈**25**〉

◆画面要素の[線色1]〜[線色4]の[赤][緑][青]をすべて〈**0**〉にする

❸ OK をクリックしてダイアログを閉じる

線色1	黒色	太さ0.05mm	極細線
線色2	黒色	太さ0.09mm	細線
線色3	黒色	太さ0.18mm	中線
線色4	黒色	太さ0.25mm	太線

以上の操作で「線色1」〜「線色4」はプリンタで印刷すると右表の線になります。

線の太さを図形に反映させるには次のように操作します。

❶ 線属性 をクリックし「線属性」ダイアログを表示させる

❷「線属性」ダイアログで使用したい線色をクリックする。

図では「線色2」を選択しています。以上のように操作してから図形を描くとその図形は選択した線色の線の太さになります。

すでに描いた図形の線色（線の太さ）を変更するには次のように操作します。

❶メニューの【編集】→【属性変更】をクリックする

❷コントロールバーにある「線種・文字種変更」にチェックを入れ、「書き込みレイヤに変更」のチェックを外す

❸ 線属性 をクリックし「線属性」ダイアログを表示させ、変更後の線色をクリックして選択し、OK をクリックしてダイアログを閉じる

❹変更したい図形をクリックする

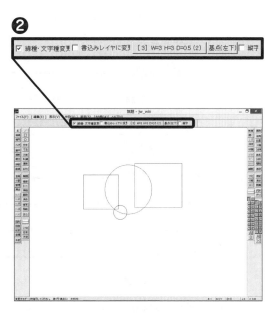

③ 線種

線種とは実線・破線・一点鎖線などのことです。建築製図ではほとんど実線で図面を描きますが、他の線種も用います。

Q&A

3-01

線種にはどんなものがありますか

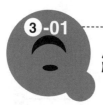線種としてJIS（JIS Z 8312:9999）では下図の15種類があげられています。これらの線種を建築製図ですべて使うかというと、そんなことはなく3～4種類を使います（▭で囲んだ線種）。なおJISでは「線種」のことを**「線の基本形」**あるいは略して**「線形」**と呼んでいますが、本書では慣例に従い「線種」と呼びます。

線種	
実線 ▶	————————————
破線 ▶	— — — — — — — — —
跳び破線 ▶	— — — — —
一点長鎖線 ▶	———・———・———・—
二点長鎖線 ▶	———・・———・・———
三点長鎖線 ▶	——・・・——・・・——
点線 ▶	·················
一点鎖線 ▶	—·—·—·—·—·—·—
二点鎖線 ▶	—··—··—··—··—
一点短鎖線 ▶	—·—·—·—·—·—·—
一点二短鎖線 ▶	— — — — — — —
二点短鎖線 ▶	— — — — — — —
二点二短鎖線 ▶	— — — — — — —
三点短鎖線 ▶	— — — — — — —
三点二短鎖線 ▶	— — — — — — ·

基本的に使われる
線の種類

AutoCADはこれを
一点鎖線としている

線種の使い分けを教えてください

建築図面ではほとんどの図形を**実線**で描きます。例外は**通り芯線**などの**基準線**（一点鎖線）、**隠れ線**（破線）などがあります。なお二点鎖線は基準線のうち一点鎖線の基準線と区別したいときに使います。

建築CAD検定試験で使用する線種は現在のところ実線、破線、一点鎖線、二点鎖線の4種類ですが将来はわかりません。なお、一点鎖線の代わりに一点短鎖線を使ってもかまいません（本書は一点短鎖線を使っています）。

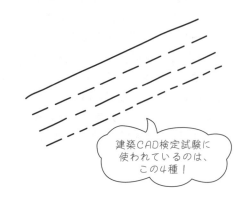

建築CAD検定試験に使われているのは、この4種！

通り芯線はなぜ一点鎖線で描くのでしょうか

通り芯線を一点鎖線で描くのは慣習によるものです。手描き製図で線の太さを描き分けるには熟練する必要がありますので、ビギナーでも描き分けられるように線種を実線以外に変えたのだと思います。CADでは極細の線を描けますので、実線でもかまいません。

JISには「通り芯」という言葉はありません。というのはJISは国際標準のISOを翻訳したも

のを下敷きにしており、欧米には通り芯の概念そのものがありません。このため通り芯線は基準線の一種として取り扱っています。そして「基準線は通常、実線で表現する」とあり、さらに「はっきりとさせるために必要な個所では、一点鎖線で表現する」と書いてあります。

なお、建築CAD検定試験では通り芯線を一点鎖線で描くように指示しています。

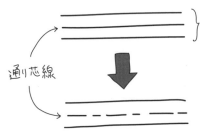

通り芯線

手描きで微妙な線の太さを描き分けるのは難しい♪♪

通り芯線あれこれ

筆者が学生時代から働き始めた建築設計事務所（アトリエ系）では通り芯線を、赤のボールペンを用い実線で描いてました。赤のボールペンの線は非常に細く、ジアゾコピーしたとき他の線より少し薄くなりますので他の線と明確に区別できます。修整のため消しゴムで消しても通り芯線だけ残ります。通り芯線を変えるような大きな変更の際は図面全体を描きなおしました。

日本の伝統的な建築方法は柱を立て、そのあと壁や建具を柱間に入れるという順序です。そして柱は自然木ですのでサイズはさほど正確ではありません。このため柱の位置を決めるのに柱の中心あたりを基準点にします。これに対し欧米の建築では、まず壁を決め、柱を用いる場合は壁のあとに位置を決めると聞いてます。

実際に欧米のCADに、通り芯線の機能はありません。中には通り芯線機能が付いている欧米のCADがありますが、それは日本で販売するために加えた機能です。筆者のところにも日本のCADベンダーから「通り芯線」の要望を欧米の開発元にどう説明すればよいかという問い合わせが、これまで3社からありました。

日本で当たり前のこととして取り扱われる通り芯線と日本住宅のグリッド（909mmや910mm）を外国人に説明するのはとても難しいです。

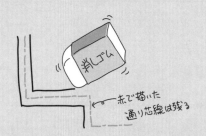

青焼き・白焼き・ジアゾコピー

筆者が建築設計を始めた頃「青焼き・白焼き」という言葉は現在と異なる意味で使われていました。「青焼き」とは青地に白い線のもの、「白焼き」は白地に青い線のものでした。青地に白の図面は原図を反転させたようなもので印象ががらりと変わるし、打ち合わせのときメモもできないので「白焼き」が出てきたらすぐに廃れてしまいました。その

後PPC（Plain Paper Copier：普通紙コピー）が出てきて、これを「白焼き」と呼ぶようになり、ジアゾコピーの「白焼き」を「青焼き」と呼ぶように変わってしまいました。

なおジアゾコピーとは感光紙にジアゾ加工物が含まれており、光によるジアゾ加工物の反応を利用しているのでこの名があります。

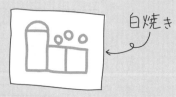

3-04

AutoCADの画面で
いろいろ探してみたのですが
破線や一点鎖線が見つかりません

A AutoCADではレイヤに線種を設定し、そのレイヤに描いた図形に自動的に線種、たとえば一点鎖線が割り振られるようにします。

AutoCADで図面を新規作成すると線種は実線しかありません。このためレイヤの設定の前に他の線種を読み込む必要があります。例として縮尺が1/100の図面に破線と一点鎖線を読み込んでみます。

❶ [ホーム] タブの [プロパティ] パネルの【線種】をクリックしメニューの【その他】をクリックする

❷「線種管理」ダイアログで ロード をクリックする

❸「線種のロードまたは再ロード」ダイアログで Ctrl キーを押しながら「ACAD_ISO02W100」(破線)と「ACAD10W100」(1点鎖線)をクリックして選択し OK をクリックする

❹「線種管理」ダイアログの [グローバル線種尺度] に〈**100**〉を入力し OK をクリックする

---

note

1本書は「ACAD_ISO10W100」を一点鎖線としています。

2「線種管理」ダイアログの「詳細」が表示されていない場合は 詳細を表示 または 非表示 をクリックします。このボタンは ロード のそばにあります。

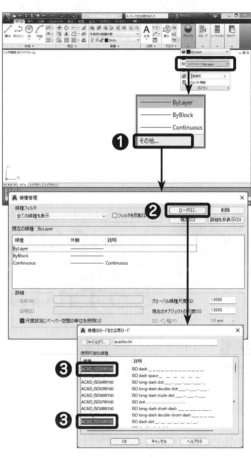

VI

建築CAD製図 Q&A

note

1 「ACAD ISO02W100」はISOの02番の線種で破線（英語名：ISO dash）、「ACAD ISO10W100」はISOの10番の線種で一点鎖線（英語名：ISO dash dot）です。ISOの線種番号はJISの番号（A3-01の図参照）と同じです。なお実線の英語名は「continuous line」でAutoCADでは「Continuous」です。

2 「グローバル線種尺度」は図面全体に対する設定で、縮尺が1/200なら〈**200**〉に、1/100なら〈**100**〉にするのが普通ですが、もっと細かなパターンにしたいなら小さな数、たとえば1/100で〈**50**〉を入力します。「現在のオブジェクトの尺度」は本書では使いません。

3 既存の図形の線種の尺度を変えるにはその図形を選択し、右クリックしてメニューを出し、【オブジェクトプロパティ管理】をクリックします。すると「プロパティ」パレットが開くので [線種尺度] を変えます。

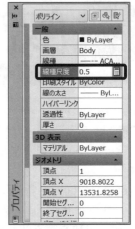

「プロパティ」パレット

③-05

AutoCADで読み込んだ線種がどんな形なのかを確認するにはどうすればよいですか

 確かに線種の名前だけではどんな線種かわかりません。そこで、画層設定の前に各線種がどのように見えるか確かめてみます。

❶ AutoCADで任意の図形をいくつか描く
❷ 適当な図形を選択する
❸ [プロパティ] パネルの【線種】をクリックして線種リストを出し、任意の線種の名前をクリックする
❹ Esc キーを押して選択解除する

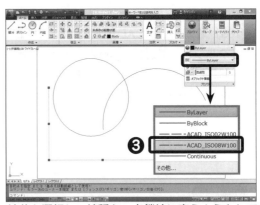

線分を選択し、線種を一点鎖線に変えようとしている

　この方法は線種の確認のためで、実際の製図ではめったに使いません。通常はレイヤに設定して使います（次ページ）。

Q ③-06
これでレイヤに線種を
設定できると思いますが、
どのような手順で設定するのですか

A 画層に線種を設定する方法を説明します。例として通り芯線の画層を作ってみます。

❶【画層プロパティ管理】ツールをクリックする

❷「画層プロパティ管理」パレットで［新規作成］をクリックしてレイヤを作成し、そのレイヤで次のように操作する
　◆名前をたとえば〈C-Line〉に変える
　◆線種の欄をクリックし、線種リストで「ACAD ISO10W100」を選択する
　◆色と線の太さでは赤い細線（0.09mm）を選択している

❸「画層プロパティ管理」パレットを閉じる

いま作った画層を試してみます。

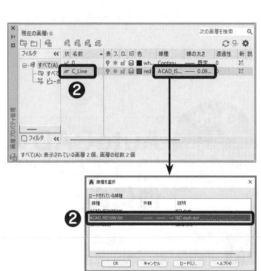

❹【画層】をクリックして「C-Line」画層を選択する。

この操作により「C_Line」画層が現在画層になります。

❺何らかの図形を描いてみる

以上がAutoCADの線種の正式な使い方です。

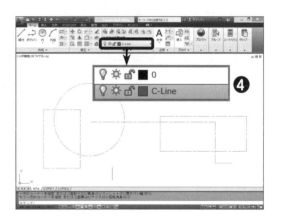

3-07

AutoCADの線種の使い方は
わかりましたが、
ずいぶんと設定が面倒ですね。
これを図面を描くたびに
毎回やらなければならないのですか

A 確かに手間がかかりますので、一通り
設定したものを**テンプレートファイル**
として保存しておき、この図面テンプレート
ファイルを読み込んで図面を描きはじめます。

こうすれば毎回設定する必要はありません。
　テンプレートファイルについてはAutoCAD
の参考書やヘルプを参照してください。

3-08

AutoCADの線種に関して
知っていたほうがよいことは
他にありますか

A 線種のパターンが線にどのように反映
するのか、知っておいたほうがよいです。
　実線以外の線種は、線とすき間で線種の形
を構成してます。もし線の端にすき間がくると
コーナーの位置が不明確になりあいまいな図面

になってしまいます。
　このためAutoCADでは線の端部にすき間が
こないように、線の中点にパターンの中心が合
うように自動的に調整されます。

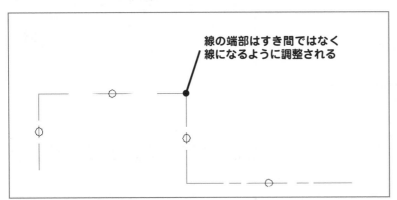

線の端部はすき間ではなく
線になるように調整される

〇は線の中点を示す。線種のパターンが左右（上下）対称になるように調整
されていることに注目

ポリライン（連続線や四角形）でも、それぞれの線が独立した線のように、頂点部にすき間がこないように調整されます。しかしポリラインがあたかも1本の線であるかのように線種パターンを割り振ることもできます。この手順を説明します。

❶ポリラインを選択する
❷作図ウィンドウで右クリックしてメニューを出し【オブジェクトプロパティ管理】を指示する
❸「プロパティ」パレットの［線種生成モード］を［有効］に変える
❹「プロパティ」パレットの［閉じる］ボタンをクリックして作図ウィンドウに戻る

　線種生成モードを［**有効**］にすると頂点部にすき間がくることがありますので、特別な場合でなければ［**無効**］にします。

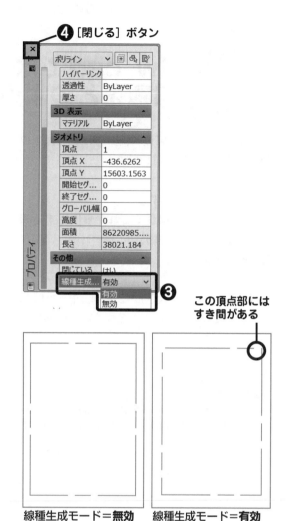

❹ ［閉じる］ボタン

❸

この頂点部には
すき間がある

線種生成モード＝**無効**　　線種生成モード＝**有効**

　端点や頂点では線種パターン調整機能が働きますが交点では働きません。もし交点部にすき間が来て問題がある場合には交点部で線を切断します。しかし手間がかかり過ぎるのであまり神経質にならないほうがよいでしょう。

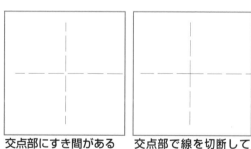

交点部にすき間がある　　交点部で線を切断している

 **3-09**

Q Jw_cadでは 線種をどのように設定しますか

A Jw_cadでの線種の使い方は線の太さの 使い方とほぼ同じです。

❶ 線属性 をクリックする
❷「線属性」ダイアログでこれから使用する線 種をクリックして選択
❸ OK をクリック

図では線色（線の太さ）が2、線種が「一点鎖1」 を選択しています。このあと描く図形の線はこ の線属性になります。

ここで線種の概略の形がわかる

note

1 「線属性」ダイアログの「点線○」（○＝数字）はJISでは 「破線」と呼んでいる線種で、「一点鎖○」は「一点鎖線」 です。
2 「線属性」ダイアログにある線種名を変更する方法は見 当たりません。

Jw_cadでもAutoCADのように、線種のパターンが線にきれいに反映しますか

Jw_cadでもAutoCADと同じように線種パターンが左右（上下）対称に配置されます。

参照 ③-08 198ページ

図のように線の端部にすき間がくることは無く、線種パターンのセンターが線の中点に一致しています。ただし交点部ではAutoCADと同様に、すき間の位置は調整されません。

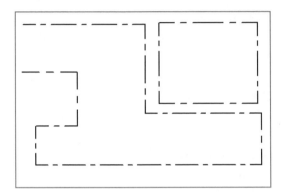

交点にすき間がくることがある

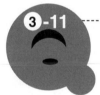

Jw_cadの場合、印刷時の線種パターンのサイズをコントロールできますか

はいコントロールできます。その手順を説明します。

❶メニューの【設定】→【基本設定】を指示する

❷「jw_win」ダイアログの《線種》タブをクリック

「jw_win」ダイアログの《線種》タブの［プリンタ出力］の［ピッチ］が印刷されるときのサイズです。デフォルトは＜**10**＞になっています。この意味は線種パターンの1単位が印刷時に10ドット分の長さで印刷されることを意味します。

印刷時の1ドットの長さがいくつになるかは印刷機の解像度によって決まります。たとえば

720dpi（1インチあたり720ドット）の解像度があれば0.035mm（＝25.4mm÷720）が1ドット分の長さですので、ピッチが10なら、線種パターンの1単位が0.35mmになり、32単位で11.2mmです。

インクジェットプリンタの解像度

インクジェットプリンタの価格が下がり、フルカラーで印刷できることからCADやCGの出力に使用することが多くなっています。インクジェットプリンタのカタログを見ると解像度が2880×1440dpiといった数値が並んでいて、インクジェットプリンタが出はじめた頃（解像度300dpi）を知っている者にとって驚異的な高解像度です。それではこの高解像度のプリンタでCAD図面を出力したときどのくらいの細い線を描けるかを説明します。プリンタにもいろいろありますので筆者が以前使っていたEPSONの「PX-V700」（A4、顔料系インク、4色機）を例として取り上げます。

PX-V700の解像度は最高1440×720dpiです。この「dpi」はプリンタの場合はインクの紙への着弾点の位置の精度です。1440dpiなら1インチ幅の間に1,440ドット打てると

いうことで、ドットの間隔は1インチ/1440で0.0176mm（17.6μm）です。720dpiなら0.0353mmになります。また1440×720dpiの1440dpiは主走査方向（ヘッドの動く方向）で720dpiは副走査方向（用紙が動く方向）です。

着弾したときのインクのサイズ（直径）はドット間隔の1.5倍程度です。インクのサイズがドット間隔より大きいのはベタ（塗りつぶし）で隙間がないようにするためです。

インクのサイズを1440×720dpiの場合で計算すると0.053mm（＝0.0353×1.5）です。これが一番細い線になります。二番目に細い線は0.088mm（＝0.053＋0.035）です。AutoCADの線の太さのリストは0.05mm、0.09mm…と並んでいますが、これにほぼ一致してます。

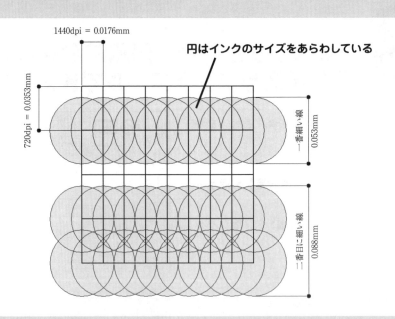

インクジェットプリンタは主に写真印刷用に開発されています。このため最高解像度はフォトペーパーに印刷する場合に用いますが印刷時間がかかるので、CADを出力するときは解

像度を落として印刷します。すなわち2880dpi機でも720dpiで印刷することになります。ですから上図の説明はたいていのEPSON社の機種に当てはまります。

建築CAD検定での
線種の注意点を教えてください

A 建築CAD検定では線種に関して厳密な規定はありません。線種の種類が判別できればよいでしょう。しかし線種パターンの サイズによって図面の印象が変わります。たとえば線種パターンのサイズが大きすぎると粗雑に見えます。

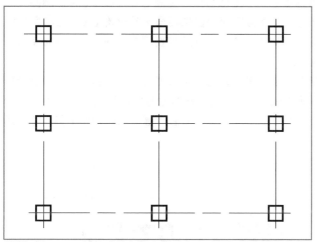

線種パターンのサイズが大きすぎる

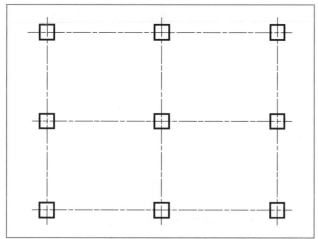

線種パターンのサイズが細かいので繊細な印象を与える

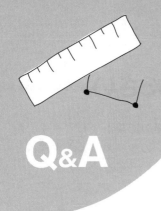

4 寸法

　寸法は図面で大事な役目を担っています。図面を描いた人はサイズをわかって描いていますので、寸法記入をあたりまえのことと思い軽くみてしまいます。しかし寸法は設計内容を他人に確実に伝えるために無くてはならないものです。そして寸法を間違えればいくら図形が正確でも、間違って解釈されてしまうという恐ろしいものです。

　図面は寸法を記入してはじめて図面らしくなります。図面を絵としてみると、寸法は図面の目に相当する要素です。このため図面の外観を大事にする人は、寸法の表現を工夫し、好みによってスタイルを決めています。

　しかし好みによって決めるといっても、何でもありというわけでなく、基本を知り、その上で自分なりの表現をするのが正しい態度です。そして基本を押さえておけばどこに持って行っても通用する図面になります。

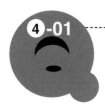

4-01

Q 寸法と寸法線は違うものですか

A 寸法はいくつかの要素からできています。寸法のことをつい寸法線と呼んでしまいますが、**寸法線は寸法の要素の一つ**です。そこで寸法の各部の名前から説明します。

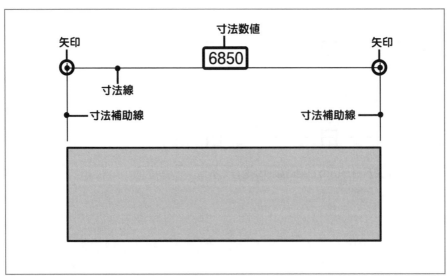

この図の各名称は JIS Z 8317:1999 に従った

前ページの図に示すように「寸法線」は寸法の一部であることがわかります。「矢印」は寸法線の端部をはっきりさせるために付ける記号で、いくつかの形があります。建築でよく使われているのが前図に用いている「黒丸」で他に「斜線」や文字通り「矢印」もあります。CADによっては矢印のことを「マーカー」と呼んでいるものもあります。

「寸法補助線」は寸法がどこの寸法かを示すために用います。Jw_cadでは寸法補助線のことを「引出線」と呼んでいます。

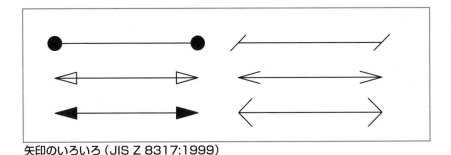

矢印のいろいろ（JIS Z 8317:1999）

矢印のこと

寸法の矢印をどれにするか迷いますが、筆者は黒丸が好きなので直線寸法には黒丸ばかり使っています。黒丸を使うと図面にめりはりが出てシマルためです。黒丸の直径をいくつにするかは大事で、大きすぎると素人っぽく見えます。小さすぎると見辛くなりますが、小さいほどプロ風の図面になりますので、実際に印刷してほどよい小ささにします（たとえば直径0.8mm）。

しかし国際基準ISOでは黒丸の大きさを直径2.5mmとしています。そして日本の電子納品に用いられるSXFでも直径2.5mmとなっています。実際に2.5mmの黒丸を寸法に用いると、あまりに大きすぎ異様な図面になってしまいます。

図面に含まれる寸法は想像以上に多く、このためCAD図面をペンプロッタで出力するとき、矢印の形によって出力時間が大きく変わります。斜線がもっとも速く、黒丸や塗りつぶし三角形は時間がかかります。ペンプロッタを使っていた頃は、出力に許される時間から寸法の矢印を決めたこともありますが、現在はラスタープロッタやプリンタ出力が主流になっているので、矢印の形を決めるとき出力時間を気にしなくてもよくなりました。

Q 寸法の単位は何にすればよいですか

A 建築では寸法の単位に**ミリメートル（mm）**を用います。このことは大事なことで、建築関係者は図面に描かれた寸法数値をミリメートルと思って読みますし、身体感覚もミリメートルになっています。もしセンチメートルなど他の単位で書かれていると、混乱しミスの原因になります。他の単位であらわし

たほうがわかりやすいと思っても寸法数値には使わず、参考として付記します。たとえば「50000」mmなら「50000（50m）」と記入します。

図面で用いる単位は1枚の図面で1つの単位で統一します。そして単位記号は寸法数値に付けません。

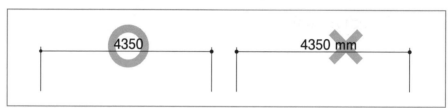

寸法数値に単位記号を付けない

トヤベのひとくちメモ！

寸法と身体感覚

建築設計者はミリメートルで図面を描き、ミリメートルで考えていますので、自然にミリメートルが身体感覚になります。このためTV番組などで「身長1メートル95」などと聞くと、ずいぶんと背の低い人だなと感じるもの。逆にいうと「1メートル95」が「1メートル95mm」と聞こえるようになれば、あなたはプロの建築関係者になったと思ってよいでしょう。

日本の大工さんは「尺寸」が身に付いている人が多いです。たとえば「450mm」と言うより「尺5寸」と言ったほうがピンときます。あるいは「1215（いんに・いんご…1.2寸×1.5寸のこと）」と言えばすぐわかるけど「36×45（mm）」と聞くと、しばらく考えないとわからない。このため戸建て住宅のベテラン設計者は、図面をミリメートルで描くけ

れど、現場では尺寸で打ち合わせをするといった使い分けをしています。

土木の設計者どうしの打ち合わせで「円・銭」で単位をあらわすことがあります。これは、センチメートル→セン→銭と略し、1メートル→100cm→100銭→1円という意味だと聞きました。「1メートル95センチ」は「1円95銭」になります。さすが大スケールのものを扱う土木の世界は違うなと感心したものです。

寸法数値に桁区切り（「,」：カンマ）を使いますか。たとえば「1200」mmなら「1,200」mmと書きますか

確かに桁区切りを用いたほうがわかりやすくなりますし、手描き製図では桁区切りを用いる人が多いです。しかし一般にCAD図面では桁区切りを用いませんというか、用いないようになると思われます。なぜならば**国際的には桁区切りを用いない**からです。

それに桁区切りの「,」を挿入できるCADは少ないです。Jw_cadはできますが、AutoCAD

などアメリカ製のCADはたいていできません。Vectorworksの日本語版はできますが特殊な方法を用いています。

※AutoCADでも裏技を使えば「,」を入れられますが、本来のAutoCADの機能ではないためHELPにもありません。このため説明を省略します。

トヤベのひとくちメモ！

なぜアメリカのCADに桁区切りがないのか

なぜアメリカ製のCAD（特に建築CAD）に桁区切りが無いのか。それはアメリカの建築図面では単位にフィート・インチを使っているためと思われます。というのは桁区切りは3桁ずつに入れますが、フィートなら1000フィートからです。1000フィートは約305メートルですから、こんな寸法を使うのは巨大な建物で、いくらアメリカでもそんなに数多くあるとは思えません。このためCADに桁区切り機能が付いていないのでしょう。

ついでに単位の話をします。アメリカでは建築にフィート・インチ単位を用いますが、インチに分数を用います。たとえば「3' 5-1/8"」というような寸法を用います。分数はたいへんに扱いにくいのになぜと思うのですが、これには理由があります。

メートル系の場合、精度を上げたいときは桁数を増やします。たとえば「〇〇mm」を「〇〇.〇mm」と1桁増やします。これで精度が10倍になります。

これに対しフィート・インチでは精度を

2倍にします。たとえば1インチを最小単位にすると粗すぎる場合は1/2インチを導入します。これでも粗すぎる場合はさらに2倍の精度すなわち1/4インチを使います。さらに1/8インチ、1/16インチ、1/32インチと最小単位を細かくしていきます。分数を使うのは面倒ですが、感覚的には理解しやすい仕組みだと思います。

筆者は数年間、輸入住宅の設計をしましたがこのときフィート・インチを用いました。最初はなかなか理解できなかったのですが、慣れると、日本の尺寸と似ており、それなりに合理的だと感じるようになりました。

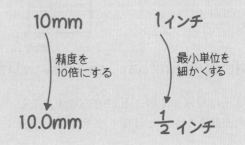

寸法を描く位置に
決まりはありますか

A 寸法をここに描かなければならないという決まりはありませんが、寸法を読み間違えられるとそのまま工事でミスが発生します。そのためには読みやすい位置に、きちんと整理して記入します。

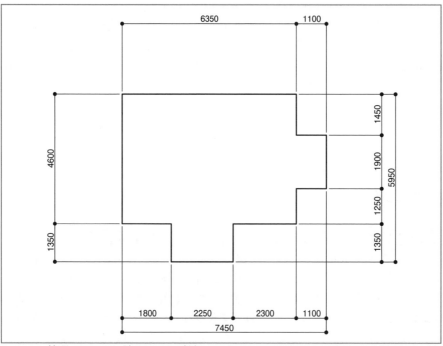

きちんと整理されていて読みやすい寸法

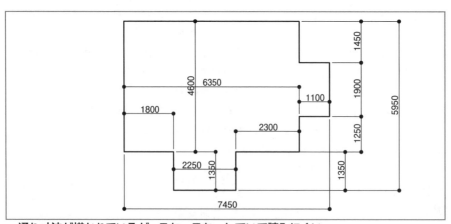

一通り寸法が描かれているが、ごちゃごちゃしていて読みにくい

寸法は読みやすいことが第一です。美しい図面が読みやすいとは限りませんが、読みやすい図面は美しいものです。これから読みやすい寸法にする方法を紹介します。

◪ 寸法を描く位置を統一する

寸法の対象の図形の周囲から等しい距離の位置に寸法を描きます。下図では**A**がすべて同じです。用紙との関係で必ずしも等しい位置に描けないこともありますがなるべく等しくします。

並列寸法（多段寸法）の間隔を揃えます。下図では**B**がすべて同じです。**B**は5〜6mm（縮尺1/100なら500〜600mm）が適当です。この**B**が大きすぎると粗雑な図面に見えるので注意してください。

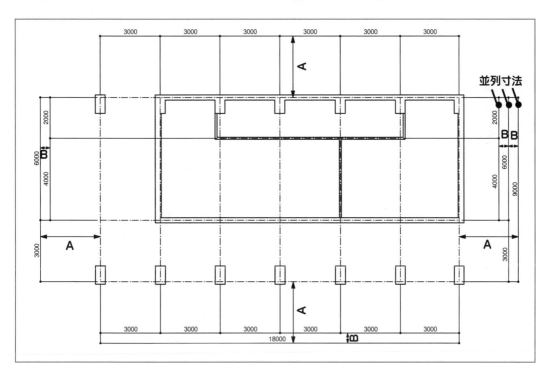

◪ 寸法は図形の外に描く

寸法は対象図形の外に描くのが基本です。前ページの下の図のように図形の中に寸法を描くと寸法どうしが交差することもありますし、寸法の線と図形の線が混在して読みにくくなります。ただし対象図形のそばに寸法を描いたほうがわかりやすいときは、右図のように、他の図形の中にあってもかまいません。

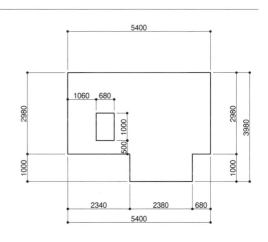

◪ 寸法数値の文字は小さめに

寸法数値の文字サイズは一般文字よりやや小さめに描きます。たとえば一般の文字が3.5mmなら寸法数値は3mm程度にします。

ただしあまり小さくしすぎると読みにくくなるのでほどほどにします。

Q 4-05 寸法数値の位置と 方向についてのルールはありますか

A 寸法数値と寸法の位置については、いろんなケースがありますので順に説明します。ただし角度寸法や円弧や円の寸法については④-08〜④-12で説明します。

■■水平垂直寸法

水平垂直寸法線では寸法数値を、寸法線に平行かつ寸法線の上に描きます。

垂直寸法線の場合どちら（左か右か）を上とみなすかというと左です。というのは図面を綴じるとき、左側を綴じる慣習があるためです。

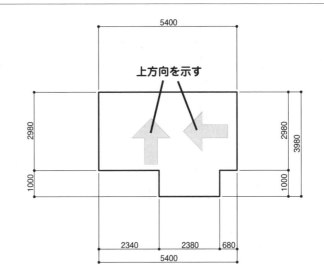

上方向を示す

■■斜め寸法線

斜め寸法線の場合も寸法数値を寸法線と平行にします。そして文字がわずかでも上方向に向くようにします。「わずかでも上方向」はわかりにくい表現ですので図に示します。

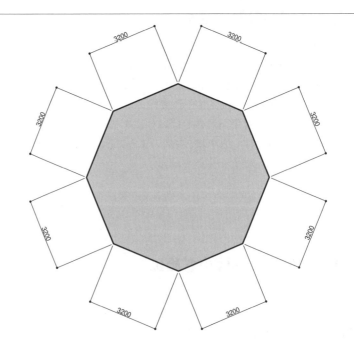

4-06

同じ寸法数値が続くとき「〃」で省略できますか

A 手描き製図では「〃」を使いますが、CADではかえって面倒なので数値を記入します。

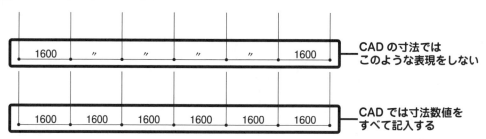

CAD の寸法では
このような表現をしない

CAD では寸法数値を
すべて記入する

4-07

寸法数値が寸法補助線の間に入らないときはどうすればよいのでしょうか

A 寸法数値が寸法補助線と重なったり、隣の寸法数値と近すぎる場合は下図のように臨機応変に対処してください。

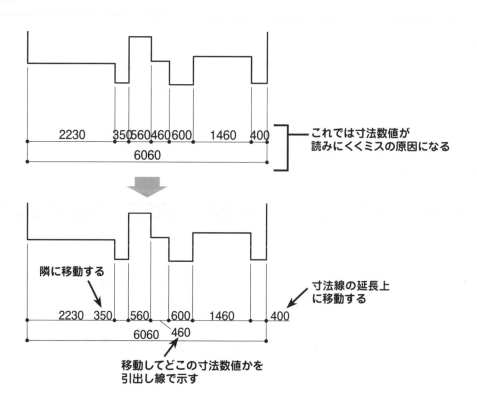

これでは寸法数値が
読みにくくミスの原因になる

隣に移動する

寸法線の延長上
に移動する

移動してどこの寸法数値かを
引出し線で示す

Q 4-08 円弧の寸法の記入方法を 教えてください

A 円弧の寸法は、その円弧の半径を示すものですが下図のように
数種類の記入方法があり、わかりやすい方法を選択します。

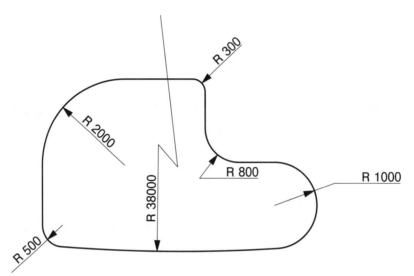

Q 4-09 円弧の寸法の寸法数値についている 「R」は何ですか

A 「R」は数値が半径（radius）であることを
示しています。このような記号を「**寸法**
補助記号」と呼び下表のような記号が使われて

います。構造図や設備図では他に多数の記号
を使いますがここでは省略します。

項目	記号	読み方	例	備考
直径	φ	ふぁい／まる	φ 300	
半径	R	あーる	R500	
球の直径	S φ	えすふぁい／えすまる	S φ 1000	建築での使用例は少ない
球の半径	SR	えすあーる	SR800	建築での使用例は少ない
正方形の辺	□	かく	□ 800	
厚さ	t	てぃー	t250	
45°の面取り	C	しー	C5	建築での使用例は少ない

Q 4-10 円の寸法の入れ方を教えてください

 円の寸法は直線寸法を使う方法と、直径や半径の記号を用いる方法があります。

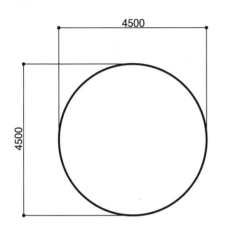

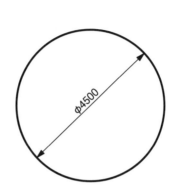

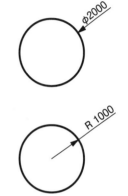

Q 4-11 角度の入れ方を教えてください

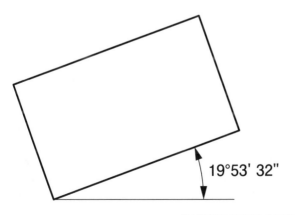 角度の寸法の単位は「° ′ ″」（度・分・秒）を用い、小数点を使わないことに注意してください。

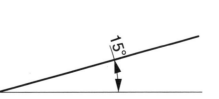

寸法数値の方向は水平にすることが多い

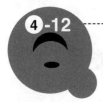

屋根の傾斜も角度で表しますか

A 屋根、スロープや排水のための傾斜などは角度で表すことは珍しく、普通は**勾配**で表します。勾配は水平方向の10（または100）に対し高低差がいくつあるかで表示します。

note

図の左側の2例の勾配は「6/10」です。これを「6寸勾配」と呼びます。1尺（＝10寸）に対し6寸上がっているという意味です。
アメリカの住宅は1フィート（＝12インチ）に対し何インチ上がっているかで勾配を表わします。このため勾配の分母に12を用います。

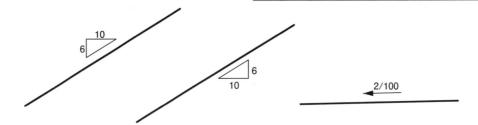

寸法数値に（ ）を付けているのを見たことがありますが、どんな意味がありますか

A （ ）付きの寸法を**参考寸法**と呼びます。たとえば右図の場合、斜め四角形のサイズ（8000×5000）と角度（30°）で各点の位置を決められますが、現場で角度を正確に測定するのは難しく不安があります。そこで確認用に水平垂直寸法を記入しておきます。ただし参考寸法はあくまで参考用で優先度は低いです。

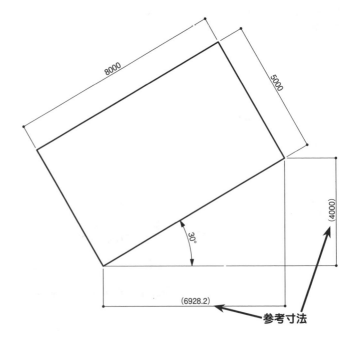

AutoCADの寸法の設定方法を教えてください

A 寸法は寸法線・矢印・寸法補助線・寸法数値の4つの要素からなり、これらを組み合わせて寸法の形（デザイン）を決めます。寸法の形のことをAutoCADでは寸法スタイルと呼んでおり、次の手順で寸法スタイルを設定します。手順の中で例として示す設定値は筆者の好みが反映しているもので、もちろん、これらの設定値に従わねばならないというものではありません。みなさんもいろいろ設定値を試し、ご自分のスタイルを見つけてください。

❶ ［ホーム］タブの［注釈］パネルの【寸法スタイル管理】ツールをクリックする

❷ 「寸法スタイル管理」ダイアログが開くので新規作成をクリックする

❸ スタイル名を入力するダイアログが開くので、適当な名前、ここでは〈**MyDim_100**〉とキーインしてから続けるをクリックする

❹ 「寸法スタイルを新規作成」ダイアログの［寸法線］タブで次のように設定する
   ◆ ［補助線延長長さ］＝＜**0**＞mm
   ◆ ［起点からのオフセット］＝＜**1.5**＞mm

❺ 「寸法スタイルを新規作成」ダイアログの［シンボルと矢印］タブで次のように設定する
   ◆ ［矢印］の［1番目］の欄で「黒丸」を選択
   ※ ［2番目］も自動的に「黒丸」になる
   ◆ ［矢印のサイズ］＝＜**0.8**＞mm

❶ 【寸法スタイル管理】ツール

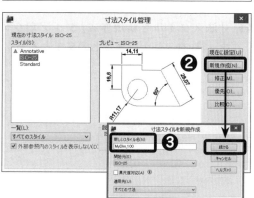

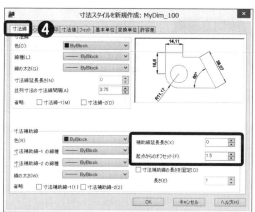

note

1 [色]と[線の太さ]がデフォルト
で[ByBlock]になっています。
[ByBlock]は自由度の高い設定
で、寸法を描くときの状態に合わ
せるという意味です。

2 [色]と[線の太さ]が[ByLayer]
になっていれば、寸法を描こうと
しているその画層の設定に従った
寸法を描けます。

3 [補助線延長長さ]と[起点からの
オフセット]の意味を図示します。
キーインするサイズは印刷時の実
寸です。

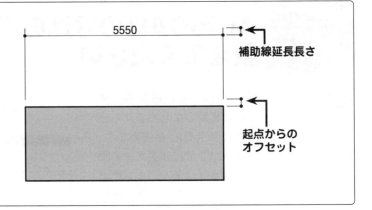

補助線延長長さ

起点からの
オフセット

❻「寸法スタイルを新規作成」ダイアログの
[寸法値]タブはデフォルトのままとする

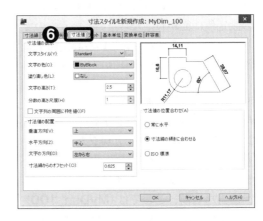

note

1 [文字スタイル]で寸法数値の文字のスタイルを指定しま
すが[Standard]スタイルのままにします。[Standard]
スタイルの内容はあとで設定します。

2 [文字の高さ]は印刷時の実寸で指定します。文字スタイ
ルにも文字の高さが含まれていますが、<0>になって

いるので、こちらの[文字の高さ]が適用されます。

3 [寸法線からのオフセット]は寸法数値と寸法線の離れ距
離です。この値が大きいと読みにくくなるので小さくし
ます。

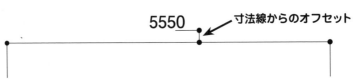

5550　　　　寸法線からのオフセット

❼「寸法スタイルを新規作成」ダイアログの
[フィット]タブで次のように設定する
　◆[寸法値の配置]で[引出線なしに寸法値
　　を自由に移動]にチェックを入れる
　◆[寸法図形の尺度]で[全体の尺度]にチェ
　　ックを入れ、<100>を入力する

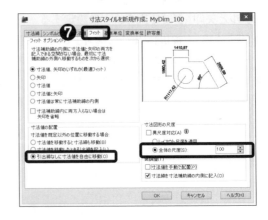

note

1 [引出線なしに寸法値を自由に移動] にチェックを入れておけば、寸法数値が込み入ったときに④-07のように、臨機応変に対応できます。
2 図面の縮尺が1/100のときは [全体の尺度] に<**100**>を、1/50のときには<**50**>を入力します。これにより印刷時実寸で設定した、寸法の各設定値が縮尺に合ったサイズに調整されます。

note

文字や寸法に「異尺度対応」という機能があります。この機能を使うと寸法スタイルや文字記入で尺度を気にしなくてよくなりますが、本書はAutoCAD旧来の方法を採用しています。「異尺度対応」を使っても、使わなくても印刷すると同じ結果になります。このため建築CAD検定試験で採点に影響しませんので、使っても問題ありませんし、異尺度対応を理解しているならぜひ使ってください。

❽「寸法スタイルを新規作成」ダイアログの [基本単位] タブで次のように設定する
◆ [長さ寸法] の [精度] で「0」を選択する
◆ [十進数の区切り] で「'. '（ピリオド）」を選択する
◆ [角度寸法] の [単位の形式] で「度 / 分 / 秒」を選択する
◆ [角度寸法] の [精度] で「0d00'00"」を選択する
◆ [角度寸法] の [0省略表記] の [末尾] にチェックを入れる

note

1 [長さ寸法] の [精度] で「0」を選択したので小数点以下の表示をしなくなります。もし「0.0」を選択すれば小数点以下1桁まで表示します。
2 [0省略表記] で [末尾] にチェックが入っていますが、[長さ寸法] で [精度] を「0」にしているので意味がありません。もし [精度] で「0.0」を選択しているなら以下のように表記されます。

1000.4 → 1000.4（変わらず）
1000.0 → 1000（小数点以下を表記しない）

3 寸法の [精度] や [0表記省略] は寸法スタイルに従って描かれますが、描いたあとで個々の寸法ごとに「プロパティ」パレットで変えられます。

長さ寸法の「プロパティ」パレット

❾「寸法スタイルを新規作成」ダイアログには、[変換単位] タブと [許容差] タブが残っているが、一般の建築図面ではデフォルトのままでよいので OK をクリック

❿「寸法スタイル管理」ダイアログに戻るので、[スタイル] 欄で「MyDim_100」が選択されているのを確認してから 現在に設定 をクリックし、続いて 閉じる をクリックする

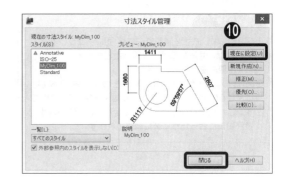

以上で寸法スタイルが用意できましたが、寸法数値に用いる文字スタイルがまだ設定されていません。次にこの設定をします。

⓫ [ホーム] タブの [注釈] パネルの【文字スタイル管理】ツールをクリックする

⓫  【文字スタイル管理】ツール

⓬ [文字スタイル管理] ダイアログが開く。[スタイル名] で「Standard」が選択されているのを確認してから、[フォント名] で使いたいフォント、たとえば「MS P明朝」を選択する

⓭ 適用 をクリックしてから 閉じる をクリックしてダイアログを閉じる

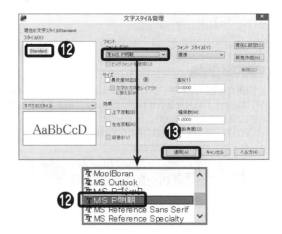

note

1「Standard」スタイルは寸法スタイルの《寸法値》タブで選択している文字スタイルです。
2 フォントのうち頭に「@」が付いているフォント、たとえば「@MS P明朝」は縦書き用フォントで、図面には使いませんので注意してください。
3 フォントのうち拡張子「shx」が付くフォント（例：「txt.shx」）はペンプロッタ用のスティックフォントで、低品質のフォントです。
プリンタやラスタープロッタで出力するなら高品質の TrueType フォント（例：MS P明朝）を使用したほうがよいでしょう。

スティックフォントの例　　　TrueType フォントの例
（txt.shx）　　　　　　　　（MS P明朝）

AutoCADで寸法を参考寸法にするために寸法数値を（ ）でくくりたいのですが、どのようにすればできますか

A AutoCADの寸法数値の前後に文字を付け加えるときにも「プロパティ」パレットを使います。

❶対象の寸法を選択して右クリックし【オブジェクトプロパティ管理】をクリックする

❷「プロパティ」パレットで[寸法値の接頭表記]に寸法数値の前に入れたい文字、ここでは＜(＞を入力

❸[寸法値の接尾表記]に寸法数値の後ろに入れたい文字、ここでは＜)＞を入力

❶
(32 35)

AutoCADで書き込み寸法をしたいのですが、どうすればできますか

A 急な設計変更のとき図形を直さずに寸法数値だけを修正することを「**書き込み寸法**」といい、手描き製図では日常的に行われている悪習です。

しかしCADではそのデータを転用することが普通で、そのまま他の人がその図面で設計を継続します。このため書き込み寸法をしないのが基本的なルールです。これを「実寸主義」といいます。すなわち図形は常に実寸で描き、これに対して寸法を入れます。ですから修正するときは図形から修正します。

さて、それでも提出間際にミスに気がつき、どうしても書き込み寸法をしなければならな

いこともありますので、手順を説明します。

❶【分解】ツール で修正したい寸法をクリック

これで寸法は分解され、ただの線と文字に変わるので、文字を修正できます。

書き込み寸法をしたときは、忘れないうちに図形も修正してください。

なお建築CAD検定試験では図形のサイズと位置をすべてチェックしますので書き込み寸法は通用しません。

Jw_cadで寸法を設定する方法を教えてください

A Jw_cadの寸法の設定の手順を説明します。以下の設定は筆者の好みが反映されています。ですから1つの例として解釈してください。

❶ メニューの【設定】→【寸法設定】を指示
❷「寸法設定」ダイアログで図のように設定する。デフォルト設定と異なるところを□□□で囲っている

以下、各項目の解説をします。ダイアログの最上段に「図寸」とあるのは本書で「印刷実寸」と呼んでいることと同じです。すなわち印刷した図面で縮尺1/1のスケール（物差し）で測ったサイズという意味です。

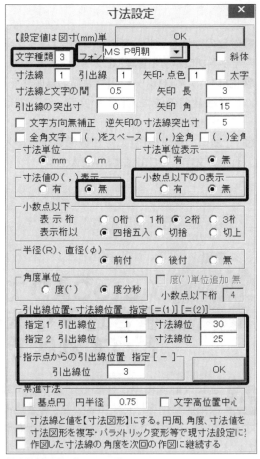

「寸法設定」ダイアログ

文字種類

　文字種類は基本設定（「jw_win」ダイアログの《文字》タブ）の設定が対応しています。文字種類は設定を変えなければ数値が大きいほど文字サイズが大きくなります。デフォルトの＜**2**＞は小さすぎるので＜**3**＞に変えています。

寸法線色、引出線色、矢印・点色

　寸法線色、引出線色、矢印・点色も基本設定の設定です。点色以外は線色が線の太さをあらわします。点色は寸法の矢印に黒丸を使うときに意味があります。

　以下、黒丸の直径を0.8mm（印刷実寸）にする場合を説明します。右図は基本設定に使用する「jw_win」ダイアログの《色・画面》タブです。

　ここで[線色 1]の点半径を＜**0.4**＞mmにし[実点を指定半径でプリンタ出力]にチェックを入れます。この[線色 1]を「寸法設定」ダイアログの[矢印・点色]に設定すれば直径0.8mmの黒丸を描けます。

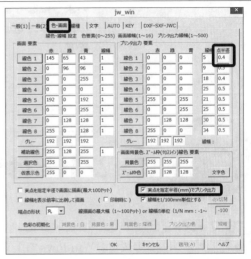

この図の [線幅] の説明は 190 ページにある

寸法値の（ , ）表示

　（ , ）の表示とは桁区切りのことです。④-03で記したように将来的には桁区切りを使わないようになると思われます。

引出線位置・寸法線位置など

　Jw_cadで寸法を描くとき引出線（寸法補助線）の始点位置と寸法線位置を指定してからはじめます。この2つの位置は任意ですが、ここで離れ距離を設定しておくと④-04で説明した、きちんと整理した寸法を描くときに役立ちます。

　「指示点からの引出線位置」は④-14の**note**（217ページ）の図の「起点からのオフセット」と同じ意味です。

　「寸法設定」ダイアログの[＝ (1)]、[＝ (2)]、[ー]の各記号はモードを表し、Jw_cadで[寸法]コマンドをアクティブにしたときのコントロールバーの ＝ をクリックして切り替えます。

＊＊＊

　以上がJw_cadの寸法設定の説明です。具体的な寸法の描き方はJw_cadの参考書を参照してください。

5 文字

　建築図面の主役は図形と寸法で、文字は脇役です。しかし脇役だからといって重要でないということではなく、図形／寸法で表現できないことを、文字で表現するのですから無くてはならないものです。

　パソコンや OS の発展により文字に関してあまり不便を感じないようになりましたが、機種や CAD によって文字の扱い方に違いがあり、知っておかねばならないルールもありますので説明します。

5-01 フォントとは何ですか

A **フォント**とはコンピュータで使う文字のデザインのことです。Windowsでよく使われるフォントには「MS P明朝」や「MS Pゴシック」あるいは年賀状に用いる毛筆フォントなどがあります。

　かつてコンピュータが非力な時代、文字、とくに日本語を表示させたり、出力することはコンピュータにとって負担が大きかったため、これに対するためフォントの方式にいくつかの種類があり、それが今でも残っています。このため理解しにくくなっていますが、CADに限れば**TrueTypeフォント**と**スティックフォント**の2種類のフォントの違いを知っておけばよいでしょう。

　TrueTypeフォントは外形線（アウトライン）と内側の塗りつぶしでできています。

アウトライン

塗りつぶし

　スティックフォントはベクトルフォントとか単線ゴシックとも呼ばれるフォントでペンプロッタ用です。ペンプロッタは鉛筆やインクペンなどで図形を描く方式なので、TrueTypeのように塗りつぶしがあると、出力に長い時間が必要で、しかも細かい部分を塗りつぶすには鉛筆／ペンでは太すぎるため汚い文字になってしまいます。このため短時間に書けるスティック

フォントが一部のCADに用意されています。

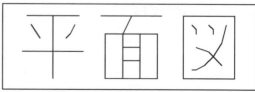

スティックフォントの例。AutoCAD のビッグフォント

5-02 「MS 明朝」と「MS P 明朝」は どう違うのでしょうか

A 明朝だけでなくゴシックにも「MS ゴシック」と「MS Pゴシック」があります。「P」が付いているほうを**プロポーショナルフォント**といい、付いていないほうを**等幅フォント**といいます。

　文字の形をデザインするとき文字の幅を、文字によって変えているものをプロポーショナルフォントといいます。たとえば「W」と「I」では「I」の幅を狭くしています。これに対し等幅フォントは同じ幅にします。右図のように明らかに違いがあります。

　一般の文書では、読みやすく、文章全体が美しく見えるプロポーショナルフォントを用いる人が多いですが、図面の場合には1行文字列が多いので、等幅フォントを使う人が多いように思えます。

プロポーショナルフォ
ントの例「MS P 明朝」

等幅フォントの例「MS
明朝」

5-03 たとえば3mmの文字というのは どこが3mmですか

A 文字の大きさは文字の高さで表示します。これはプロポーショナルフォントのように文字によって幅が異なるフォントがあるためです。

　さて高さといってもCADの場合、CADソフトによってかなり違うので注意が必要です。

　下図は拡大していますが、両方とも3mmの高さの文字で、2本の線の間隔も3mmです。フォントは「MS 明朝」を使用しています。Jw_cadは2本の線の間に納まっていますが上下にすきまがあります。AutoCADでは2本の線よりはみ出ています。

　2つの文字列のサイズを測ってみるとAutoCADはJw_cadの約1.5倍もあります。

　　　＊　　＊　　＊

　設計チームでJw_cadとAutoCADが混在している場合、文字の大きさに関してはCADの違いを考慮してそれぞれ決める必要があります。たとえば寸法数値の大きさをAutoCADで2.5mmとするなら、Jw_cadは3.7mmにします。もしJw_cadで2.5mmにすると小さすぎて読みにくくなってしまいます。

1階平面図

Jw_cad

1階平面図

AutoCAD

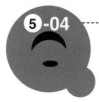

ワープロなど他のソフトでは文字の大きさをポイントで指定しますが、ポイントとは何ですか

A **ポイント**という単位は欧米の活字のサイズを起源としています。そして1ポイントは1/72インチです。これをmmに換算すると1ポイント＝0.353mm（＝25.4÷72）になります。この数値を覚えておけばポイントをすぐにmmに換算できます。

9 ポイント	＝	3.18mm
10 ポイント	＝	3.53mm
10.5 ポイント	＝	3.71mm
12 ポイント	＝	4.24mm
14 ポイント	＝	4.94mm

note

ドローソフトやペイントソフトでは線の太さもポイントで表します。このポイントは文字の大きさのポイントとまったく同じ単位です。CADで描いた図面をドローソフトなどでプレゼン用に仕上げる場合もあるので、線の太さをポイントで指定するのに慣れておいたほうがよいです。

1/4 ポイント	＝	0.09mm
1/2 ポイント	＝	0.18mm
3/4 ポイント	＝	0.26mm
1 ポイント	＝	0.35mm

AutoCADで文字を設定する方法を教えてください

A AutoCADでは寸法と同じように文字スタイルをあらかじめ決めておきます。文字スタイルにはフォントなどいくつかの項目を指定できますが、普通はフォントだけ指定します。スタイルはいくつでも用意できま

すが、ここでは1つだけ作ってみます。なおAutoCADではTrueTypeフォントとスティックフォントでは設定方法が少し違います。最初にTrueTypeフォントの場合を説明します。

❶ ［ホーム］タブの［注釈］パネルの【文字スタイル管理】ツールをクリックする

❷ 「文字スタイル管理」ダイアログで次のように設定する

◆ ［スタイル］は「Standard」のままにする

◆ ［フォント名］で使いたいフォント、たとえば「MS P明朝」を選択する

◆ ［高さ］が＜**0.0000**＞になっているのを確認する

❸ 適用 、続けて 閉じる をクリックして「文字スタイル管理」ダイアログを閉じる

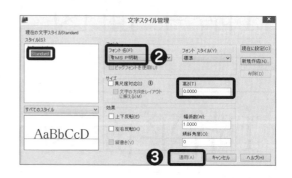

「Standard」スタイルは「現在の文字スタイル」に設定されるので、これから記入する文字はすべて「Standard」スタイルになります。

note

1 すでに「Standard」スタイルを使っていて変えたくない場合は 新規作成 をクリックし、適当なスタイル名を付けて文字スタイルを作ります。
2 フォントの頭に付いているマーク **T** はそのフォントがTrueTypeフォントであることを示しています。そして **♣** はスティックフォントです。また前にも書きましたがフォント名の最初に「@」が付くものは縦書き用フォントで

CADには使いません。
3 ［高さ］を＜ **0.0000** ＞にしておくと入力時に高さを指定できます。
4 文字スタイルで「異尺度対応」をオンにすると縮尺を意識しないで文字サイズを決められますが、建築CAD検定試験ではメリットが少ないので「異尺度対応」の説明は省略します。

Q 5-06 それではAutoCADでスティックフォントを使う場合の設定方法を教えてください

A スティックフォントを使うときは英数字用のフォントと、かな漢字用フォントの2つのフォントを設定します。

❶メニューの【形式】→【文字スタイル管理】を指示

❷「文字スタイル管理」ダイアログで次のように設定する

◆［スタイル］は「Standard」のままにする

◆［フォント名］で「txt.shx」を選択する

◆［ビッグフォントを使用］にチェックを入れる

◆［ビッグフォント］で「exffont2.shx」あるいは「bigfont.shx」を選択する

◆［高さ］が＜ **0.0000** ＞になっているのを確認する

❸ 適用 、続けて 閉じる をクリックして「文字スタイル管理」ダイアログを閉じる

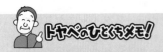

「？？？？」と表示されたら

AutoCAD以外のCADで作成したファイルをDWG／DXFに変換し、これをAutoCADで読み込むとかな漢字が「？？？？…」と「？」の行列に変わってしまいます。これはデフォルトの文字スタイルのフォントが「txt.shx」になっておりビッグフォントがオンになっていないためです。

こんなときは文字スタイル管理でフォントを日本語用TrueTypeフォントか、ビッグフォントに変えます。

5-07 Jw_cadでの文字の設定を教えてください

A Jw_cadは文字フォントにTrueTypeフォントを使います。設定はとても簡単です。

❶メニューの【設定】→【基本設定】を指示
❷「jw_win」ダイアログの《文字》タブをクリックして内容を確認する
❸OK をクリックして「jw_win」ダイアログを閉じる

なおフォントに何を使うかは文字を記入するときに決めます。

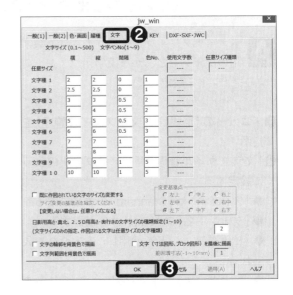

「jw_win」ダイアログの《文字》タブには10の文字種があり、それぞれに文字のサイズと文字間隔および色が設定されています。一般にはこのままでよいと思いますが、もし別の設定にしたいときはこのダイアログで変更します。

フォントや文字種の設定／変更は【文字】コマンドを起動してから行います。

❹【文字】コマンドをクリックする
❺コントロールバーの [[3] W＝3 H＝3 D＝0.5 (2)] などと書かれたボタンをクリック
❻「書込み文字種変更」ダイアログでフォントと使用する文字種を設定する

note

フォントは【文字】コマンドを起動すると出てくる「文字入力」ダイアログでも変えられます。

「書込み文字種変更」ダイアログ

VI
建築CAD製図 Q&A

❓5-08 文字の大きさの 使い分けを教えてください

A 先に書いたようにCADによって実際の文字のサイズが違うのでCADごとに示します。フォントはいずれも「MS P明朝」の場合です。

AutoCADの文字ツールでは文字の大きさを縮尺に応じて変えます。たとえば縮尺が1/100なら文字高さ3mmは300mmと指定します。

▼ Jw_cad の場合

一般文字	4 × 4mm
寸法数値	3.5 × 3.5 ～ 4 × 4mm
タイトル文字	5 × 5mm

▼ AutoCAD の場合

一般文字	2.5 ～ 3mm
寸法数値	2.5 ～ 3mm
タイトル文字	3.5mm

6 印刷

CADは印刷をしてはじめて結果を確認できます。線の太さは適正か、文字の大きさはどうか、寸法が読みやすいかなど印刷しないと本当のところが分かりません。

建築CAD検定試験は印刷したもので採点します（250ページ）。今のところ受験者が印刷することはありませんが印刷結果を意識しながら入力する必要があります。このためにも練習中に自分で何回も印刷して自分の目で確認してください。

6-01 印刷するとき何に注意すればよいでしょうか

A 印刷結果に影響するのは印刷機（プリンタ／プロッタ）と用紙、それから印刷ドライバでの設定です。

◆印刷機器

CADに使う印刷機というとかつてはプロッタでしたが現在はプリンタが主流になっています。大判の図面にはプロッタを使いますがインクジェット型ならプリンタと同じようなものと言ってよいでしょう。

建築CAD検定試験は3級と4級がA4判の用紙しか使いませんので一般のプリンタで出力できます。准1級と2級はA3判なのでA3判のプリンタが必要ですがチェックだけならA4判プリンタでもかまいません。

CADに使用するプリンタは高価なものは必要ありません。A4判なら1万円以下のプリンタでもきれいに印刷できます。解像度は720dpiあれば十分ですし、レーザープリンタとインクジェットプリンタでは厳密に比較したことありませんが、インクジェットプリンタのほうがシャープな線が出るように筆者には思えます。

◆用紙

インクジェットプリンタでインクが染料系の場合は用紙によって結果が異なります。それに気候にも影響されます。普通紙はにじみが大きいためCADの最終出力には向きません。上位の純正用紙（たとえばEPSONならスーパーファイン紙）を使ってください。

顔料系のインクジェットプリンタやレーザープリンタなら普通紙でかまいません。なお染料系インクジェットプリンタでも黒色インクだけは顔料系というメーカーもありますのでご自分のプリンタのカタログやマニュアルで確認しておいてください。

◆印刷ドライバでの設定

印刷ドライバでの設定とはCADに限らずソフトから印刷するときに設定する「プロパティ」のことです。この設定はCADソフトで印刷するときに設定しますので次項の中で説明します。

Q AutoCADでは どのように印刷しますか

A AutoCADで印刷するときは縮尺と印刷レイアウトに注意します。3級試験の完成図（A4判）を印刷する場合を例として手順を説明します。また印刷機の機種によって異なる設定がありますので筆者が使用しているEPSONのA3インクジェットプリンタ「PM-3700C」を例としています。

❶ クイックアクセスツールバーの【印刷】ツールをクリックする
　※あるいはアプリケーションメニューの【印刷】→【印刷】をクリックする

❷「印刷」ダイアログで次のように操作する
　◆ [プリンタ / プロッタ]の[名前]で使用する機種を選択する
　　※図では「PM-3700C」を選択
　◆ オプションの[印刷スタイルテーブル]の[名前]で「monochrome.ctb」を選択する
　　※オプションが表示されていない場合はダイアログの右下にある
　　オプションの表示 / 非表示 をクリックする
　◆ オプション[図面の方向]で「横」にチェックを入れる
　◆ [プリンタ / プロッタ]の[名前]の右側の
　　プロパティ をクリックする

❸「プロッタ環境設定エディタ」ダイアログで
　カスタムプロパティ をクリックする。

するとプリンタ／プロッタのプロパティのダイアログが表示されます（機種によって内容が異なります）。

❶ 【印刷】ツール

オプション

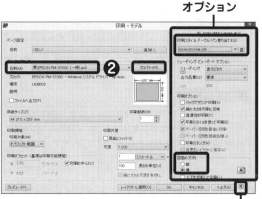

「印刷」ダイアログ

[オプションの表示 / 非表示]

> **note**
>
> 図面中に黒以外の色を使っているとき、たとえば2級の立面図でガラス部分の塗りつぶしにグレーを使っているときは印刷スタイルテーブルで「Grayscale.ctb」を選択します。

「プロッタ環境設定エディタ」ダイアログ

次のステップ❹はEPSONの「PM-3700C」の場合です。

❹ダイアログで次のように操作する

◆[用紙種類]で使用する用紙を選択する（たとえば「EPSONスーパーファイン紙」）

◆[カラー]の[黒]にチェックを入れる

◆[用紙設定]タブをクリックする

◆[用紙サイズ]で「A4 210×297mm」を選択する

◆[印刷可能領域]の[センタリング]にチェックを入れる

◆OKをクリックしてプロパティのダイアログを閉じる

note

もし図面が標準の印刷可能領域をはみ出すと予想される場合は「最大」にチェックを入れますが、建築CAD検定試験の解答を印刷するときは「標準」でOKです。

❺「プロッタ環境設定エディタ」ダイアログに戻るのでOKをクリックしてダイアログを閉じる

❻「プリンタ環境設定ファイルの変更」ダイアログで[変更を次のファイルに保存]にチェックを入れてOKをクリックする

❼「印刷」ダイアログに戻るので次のように操作する

◆[印刷領域]で「オブジェクト範囲」を選択する

◆[印刷尺度]で縮尺、たとえば「1:100」を選択する（S＝1／30なら「1:30」を選択する）

◆[印刷オフセット]の[印刷の中心]にチェックを入れる

❽プレビューをクリックする

note

プリンタ環境設定ファイルは「機種名.pc3」という名前のファイル（ここでは「EPSON PM-3700C.pc3」）が保存されます。次回から手順❷の操作のところで（230ページ）、[プリンタ／プロッタ]の[名前]に「機種名.pc3」を選択するだけでプリンタ／プロッタの設定ができます。

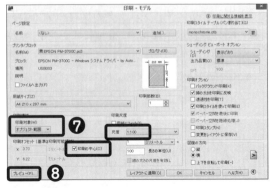

❾プレビューが表示されるので確認する。よければ右クリックして【印刷】をクリックすると印刷がはじまる。問題あるときは Esc キーを押し、印刷ダイアログに戻って設定を見直す

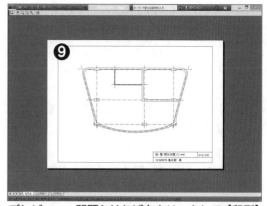

プレビュー。問題なければ右クリックして【印刷】をクリックすると印刷がはじまる

6-03

Jw_cadではどのように印刷しますか

 Jw_cadで印刷するのは簡単です。3級試験の完成図（A4判）を印刷する場合を例として手順を説明します。また印刷機の機種によって異なる設定がありますので筆者が使用しているEPSONのA3インクジェットプリンタ「PM-3700C」を例としています。

❶メニューの【ファイル】→【印刷】を指示する
❷「印刷」ダイアログで次のように操作する
　◆「プリンタ名」で使用するプリンタ／プロッタを選択する
　◆ プロパティ をクリックする

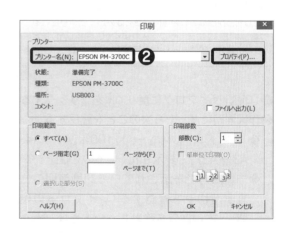

次のステップ❸はEPSONの「PM-3700C」の場合です。

❸プロパティのダイアログで次のように操作する

◆《基本設定》タブの [用紙種類] で使用する用紙を選択する（たとえば「EPSONスーパーファイン紙」）

◆[カラー] の [黒] にチェックを入れる

◆[モード設定] のスライダーを [きれい] 側に動かす

note

[モード設定] で [きれい] に設定しましたが [速い] にしてもさほど違いがないので、急ぐときには [速い] でかまいません。

◆《用紙設定》タブをクリックする

◆[用紙サイズ] で「A4 210×297mm」を選択する

◆[印刷方向] の [横] にチェックを入れる

◆[印刷可能領域] の [センタリング] にチェックを入れる

◆OK をクリックしてプロパティのダイアログを閉じる

note

もし図面が標準の印刷可能領域をはみ出すと予想される場合は [最大] にチェックを入れますが、建築CAD検定試験の解答を印刷するときは [標準] でOKです。

❹「印刷」ダイアログに戻り OK をクリックする

❺作図画面に戻ったら次のことを確認する

◆コントロールバーで「100%（A4→A4、A3→A3）」と表示されているのを確認する

◆赤い四角で表示されている印刷範囲の位置が適切かを確認する（レイアウトの確認）。赤い四角を移動したいときは、右クリックするとカーソルに追随して赤い四角が動くので適切な位置でクリックする

❻クリックするか、コントロールバーの 印刷 をクリックすると印刷がはじまる

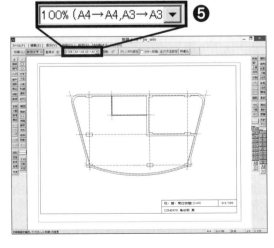

VII章

受験案内

受験案内をしっかり読んで、
忘れ物などないように!

建築ＣＡＤ検定試験
受験案内書
（准1級・2・3級）

試験日　　　　　〈前期〉4月／〈後期〉10月毎日曜日　※准1級は10月のみ

受験申込受付期間〈前期〉2月上旬〜2月中旬
　　　　　　　　〈後期〉8月上旬〜8月中旬
　　　　　　　　※受験申込受付期間については年度によって若干変更する場合があります

合格発表　　　　〈前期〉6月中旬予定
　　　　　　　　〈後期〉12月中旬予定

受験案内書については内容が変更する場合があります。受験資格、日程、
受験料などの最新情報については以下までお問い合わせください。

一般社団法人 全国建築ＣＡＤ連盟
　〒461-0008 名古屋市東区武平町5-1 名古屋栄ビルディング7F
　TEL…052-962-5544
　FAX…052-962-5570
　URL…https://www.aacl.gr.jp/
　E-mail…info@aacl.gr.jp

建築ＣＡＤ検定試験の基準

級 項目	准 1 級	2 級	3 級
受 験 資 格	規 定 な し		
日　　　程	10月毎日曜日 ※試験日は 会場によって異なります。	4月／10月毎日曜日 ※試験日は会場によって異なります。	
試 験 時 間	実技4時間10分 ※設定10分、準備30分、 作図3時間30分	実技5時間	実技2時間
受 験 料	14,700円（税込）	10,500 円（税込）	

● 准１級試験

課題として与えられた建築図面を、自らの持つ建築知識とＣＡＤの経験を駆使したうえ、建造物の特性を理解した適切な判断によるトレースを行いこれを完成させる。試験は実技試験で、一定時間内に下記の例に示す建築図面（RC造等）を４面作成する。なお、建物の種類によっては課題図面の種類が異なる場合があるが、全体の図面密度は同程度である。

〈出題例〉① 配置図・１階平面図・外構　② ２階平面図　③ 基準階平面図
　　　　　④ 断面図
　　　　　などである。

● ２級試験

自らの持つ建築知識をもとに、ＣＡＤシステムを使って建築図面を作成する実力を備えているかを問う。試験は実技試験で、一定時間内に下記の例に示す建築一般図を２面作成する。

〈出題例〉① 設計者の描いたラフなスケッチをもとに平面詳細図を完成させる
　　　　　② 平面図、断面図、屋根伏図をもとに立面図を完成させる
　　　　　などである。

● ３級試験

与えられた建築図面をＣＡＤシステムを使って正しくトレースする実力を備えているかを問う。試験は実技試験で、建築図面の要素を取り出して作成した参考図をもとに、完成図を一定時間内に作成する。なお問題数は4題である。

〈出題例〉① 階段平面図
　　　　　② 通り芯・寸法・通り芯記号
　　　　　③ 柱・壁・間仕切壁
　　　　　④ 壁と窓
　　　　　などである。

建築ＣＡＤ検定試験の流れ

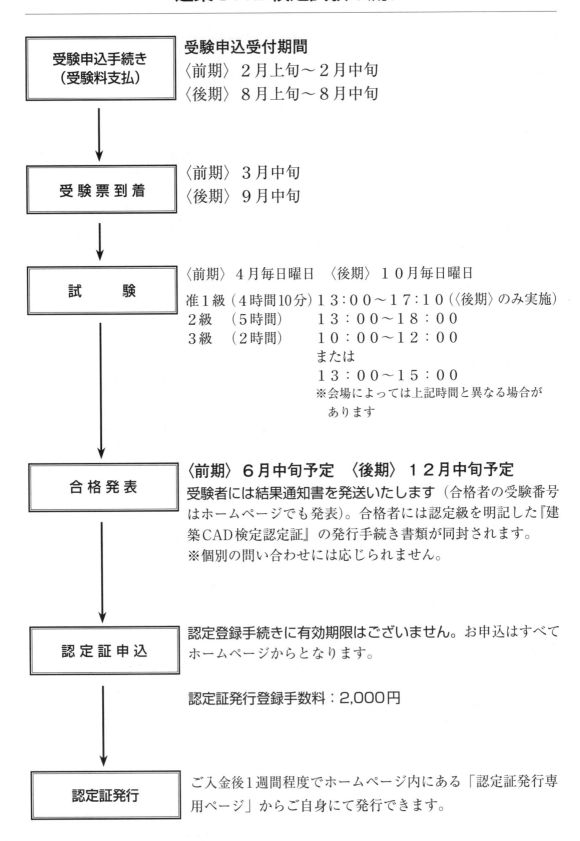

受験申込手続き （受験料支払）	**受験申込受付期間** 〈前期〉２月上旬～２月中旬 〈後期〉８月上旬～８月中旬
受 験 票 到 着	〈前期〉３月中旬 〈後期〉９月中旬
試　　　験	〈前期〉４月毎日曜日　〈後期〉１０月毎日曜日 准１級（４時間10分）１３：００～１７：１０（〈後期〉のみ実施） ２級　　（５時間）　　１３：００～１８：００ ３級　　（２時間）　　１０：００～１２：００ 　　　　　　　　　　　または 　　　　　　　　　　　１３：００～１５：００ ※会場によっては上記時間と異なる場合が 　あります
合 格 発 表	**〈前期〉６月中旬予定　〈後期〉１２月中旬予定** 受験者には結果通知書を発送いたします（合格者の受験番号 はホームページでも発表）。合格者には認定級を明記した『建 築ＣＡＤ検定認定証』の発行手続き書類が同封されます。 ※個別の問い合わせには応じられません。
認 定 証 申 込	認定登録手続きに有効期限はございません。お申込はすべて ホームページからとなります。 認定証発行登録手数料：２,０００円
認 定 証 発 行	ご入金後１週間程度でホームページ内にある「認定証発行専 用ページ」からご自身にて発行できます。

試験の手続きについて

1．受験申込手続き

受験方法を選択して下さい。

会場機器使用	会場設置のPCを使用して受験
ノートＰＣ持込	会場に自分のPC・CADソフトを持込んで受験

申込みはホームページ（https://www.aacl.gr.jp/）からのみとなります。

2．受験料支払方法

◎お支払い方法はクレジットカードのみとなります。

◎一度支払われた受験料は、理由の如何を問わず返還致しかねますのでご了承下さい。

3．受験票の交付

受験申込、受験料の受領後、『受験票』を郵送致します。内容に誤りがあった場合は、当連盟に連絡して下さい。

4．試験当日の準備

◎試験当日に持参（用意）するものは以下の通りです。

必ず持参（用意）するもの		持参（用意）して差し支えのないもの
会場機器使用	パソコン持参	
①受験票 ②筆記用具	①受験票 ②ハードウェア ③CADソフト ④電源用延長コード（1m以上を推奨) ⑤筆記用具	①電卓 ②スケール ③テンキーボード ④CADソフトのテキスト、およびマニュアル ⑤公式ガイドブック ⑥モバイルルーター（インターネット接続型のCADソフト利用の場合)

5．注意事項

解答図面のデータは使用ソフトの標準形式で提出して頂きます。

※提出すべき解答図面ファイルがひとつでもかけていた場合は採点対象外となりますのでご注意下さい。

会場受験

(1)受験申込の際には、希望する試験会場を指定して下さい。各試験会場ともに定員の都合上、お申込みいただけない場合がありますが、あらかじめご了承下さい。

(2)会場によって試験日時、実施する級およびCADソフトが異なりますので試験会場一覧にて必ずご確認下さい。

(3)解答図面データは受験者ごとに用意されるUSBメモリに保存して提出して頂きます（ハードディスクへの保存は禁止）。

◆会場機器使用

(1)試験会場には、ハードウェア、ソフトウェアが用意されていますが、受験者が故意に破損等をした場合には、受験者の責任となります。

(2)使用する機器について、故障等のほかは異議を申し立てないで下さい。

(3)会場に用意されているソフトウェア（使用するCADソフトを除く）のシステムを変更する行為は一切禁止します。

◆パソコン持参

(1)CADソフトによってはPDFファイル（PDF変換ソフトは受験者で用意）にて提出して頂く場合があり、個別に通知致します。

(2)ハードウェアはノート型パソコンに限り、USBメモリ使用のためのUSBポートの空きが1ポート必要です。OSがWindows Me、Mac OS 9以降であれば、USBメモリはドライバのインストール不要。

(3)電源は会場にて用意しますが、バッテリーと併用するタイプのものとします。

(4)その他会場に持ち込み可能なハードウェアは、マウス、マウスパッド、テンキーボード、予備バッテリーとします。

(5)インターネットに接続が必要なCADソフトを使用する場合は、モバイルルーターの持込みを可能とします。

(6)マシン及びソフトウェアのトラブルはいかなる理由があっても受験者本人の責任とし、再受験や受験料の返還は致しません。

2024年度 一般受験試験会場一覧（予定）

会場所在地	受験方法	ソフト・バージョン	実施級	
			前期〈4月〉	後期〈10月〉
北海道札幌市	ノートパソコン持ち込み	―	2・3	准1・2・3
宮城県仙台市	ノートパソコン持ち込み	―	2・3	准1・2・3
茨城県古河市	会場機器	Jw_cad 8	2・3	准1・2・3
	ノートパソコン持ち込み	―		
千葉県柏市	会場機器	Jw_cad 8	2・3	准1・2・3
		AutoCAD 2022		
	ノートパソコン持ち込み	―		
東京都北区	会場機器	Jw_cad 8	―	准1・2・3
		AutoCAD 2022		
	ノートパソコン持ち込み	―		
東京都豊島区	会場機器	Jw_cad 8	2・3	准1・2・3
	ノートパソコン持ち込み	―		
岐阜県岐阜市	会場機器	Jw_cad 8	2・3	准1・2・3
	ノートパソコン持ち込み	―		
愛知県名古屋市	ノートパソコン持ち込み	―	2・3	准1・2・3
大阪府大阪市	会場機器	Jw_cad 8	2・3	准1・2・3
		AutoCAD 2022		
	ノートパソコン持ち込み	―		
岡山県岡山市	ノートパソコン持ち込み	―	2・3	2・3
広島県広島市	ノートパソコン持ち込み	―	2・3	准1・2・3
高知県高知市	会場機器	Jw_cad 8	2・3	准1・2・3
	ノートパソコン持ち込み	―		
福岡県福岡市	ノートパソコン持ち込み	―	2・3	准1・2・3
沖縄県那覇市	会場機器	Jw_cad 8	2・3	准1・2・3
	ノートパソコン持ち込み	―		

※実施会場やCADソフトは都合により変更になる場合があります。

MEMO

建築ＣＡＤ検定 模擬テスト案内

■ 模擬テスト概要

　本試験を受験する前に本番さながらのテストを体感し、確実に資格を得たいと考える受験者のために「模擬テスト」を実施しています。現時点での自分自身のＣＡＤスキルが的確に把握でき、「資格取得」に賢く備えるために有効です。

	テスト時間	テスト料 （判定チェック含む）
建築ＣＡＤ検定模擬テスト　2級	5時間	4,000円
建築ＣＡＤ検定模擬テスト　3級	2時間	3,000円

※料金は税込です。

■ 建築CAD検定　模擬テスト手続き方法

【1】申込手続き方法

連盟ホームページからお申し込み下さい。お支払い方法はコンビニまたはクレジットカードを選択して頂けます。解答図面の提出、判定チェック表の返送はすべてメールにて行います。

【2】テスト問題・実施票の送付

ホームページの申込みフォームからお申込後、テスト料の受領が確認でき次第、テスト実施票・テスト問題をメールにてお届けします。

（ご入金確認後、2日程度かかりますのでご了承下さい。）

【3】テスト当日

テストは本番とまったく同じ形式です。各々のテスト時間を厳守し、実施して下さい。

【4】テスト終了後

解答図面データをメールに添付し、「mogi@aacl.gr.jp」宛に送信してください。メールの件名欄は「模擬テスト番号」を記入してください。

【5】判定チェック結果（申込者のみ）

テスト解答図面提出後、連盟が判定チェックを行い、結果をPDFにてメールでお知らせします。
（連盟ホームページに掲載の『判定チェック返送スケジュール』に基づいて返送いたします。）

建築CAD検定模擬テスト３級　判定チェック表

模擬テスト番号		氏名	

項目（A：階段）		ランク1	ランク2	ランク3	ランク4	ランク5	ランク6	点数
①踏板	16	10	8	6	4	2	0	8
②壁	10	15	12	9	6	3	0	15
③雑線	27	10	8	6	4	2	0	8
④包絡	9	10	8	6	4	2	0	10
⑤図面枠・文字	8	5	4	3	2	1	0	4
⑥図面全体イメージ		5	4	3	2	1	0	3

項目（B：通り芯）		ランク1	ランク2	ランク3	ランク4	ランク5	ランク6	点数
①芯	13	10	8	6	4	2	0	10
②符号	8	10	8	6	4	2	0	10
③寸法線	13	10	8	6	4	2	0	8
④図面枠・文字	8	5	4	3	2	1	0	4
⑤図面全体イメージ		5	4	3	2	1	0	3

項目（C：壁）		ランク1	ランク2	ランク3	ランク4	ランク5	ランク6	点数
①壁	9	10	8	6	4	2	0	10
②柱	7	10	8	6	4	2	0	10
③包絡	12	10	8	6	4	2	0	10
④芯	11	10	8	6	4	2	0	10
⑤図面枠・文字	8	5	4	3	2	1	0	4
⑥図面全体イメージ		5	4	3	2	1	0	4

項目（D：建具）		ランク1	ランク2	ランク3	ランク4	ランク5	ランク6	点数
①壁	8	15	12	9	6	3	0	15
②建具	9	25	20	15	10	5	0	25
③雑線	4	5	4	3	2	1	0	5
④図面枠・文字	8	5	4	3	2	1	0	4
⑤図面全体イメージ		5	4	3	2	1	0	3

※点数（200点満点）

A（階段）	B（通り芯）	C（壁）	D（建具）	合計
48	35	48	52	183

評価	⑤ ・ 4 ・ 3 ・ 2 ・ 1

評価について・・・5～4を合格、3～1を不合格とします。基準は以下の通りです
5：合格点＋30点以上 4：合格点＋30点以内 3：合格点－30点
2：合格点－31点～60点以内 1：合格点－60点以上 とします。

◆採点者からのアドバイス◆
評価5ということで、図面の完成度はすばらしいです。今後レベルアップを目指されるのであれば、以下の点に注意してください。全ての図面（A～D）において図面全体イメージの減点をしています。理由としては、枠の中心への図面配置がされていない事です。図面完成後、図を少し移動していただくとよいでしょう。また、タイトルに関してですが、Aの図面を例に挙げますと、『階段平面図』では減点となります。『階段平面図（A-01）』まで入力してください。

３級模擬テスト　提出図面に添削したもの（サンプル）

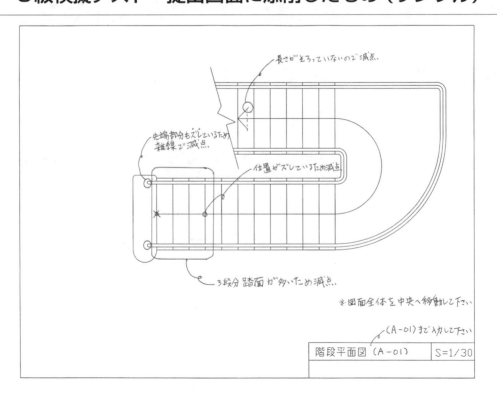

長さがそろっていないので減点。

先端部分もズレているため雑線で減点。

位置がズレているため減点。

3段分踏面が多いため減点。

※図面全体を中央へ移動して下さい。

（A-01）まで入力して下さい

階段平面図（A-01）	S=1/30

建築CAD検定試験　統計資料

◆合格率（過去5年間）

年度 等級	2023年度	2022年度	2021年度	2020年度	2019年度
准1級	7.1%	12.5%	14.1%	2.0%	24.5%
2級	58.3%	57.9%	60.3%	67.7%	58.6%
3級	69.7%	65.6%	61.5%	64.8%	71.1%
4級	91.3%	89.7%	93.3%	92.5%	89.8%

◆受験申込者数（過去10年間）

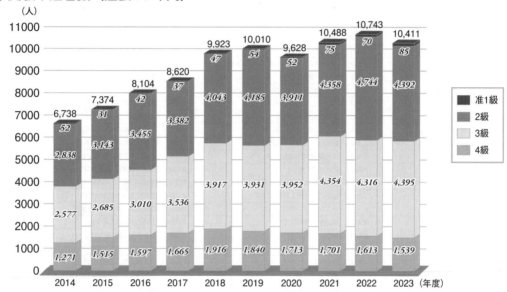

◆CADソフト別受験者データ（2023年度）

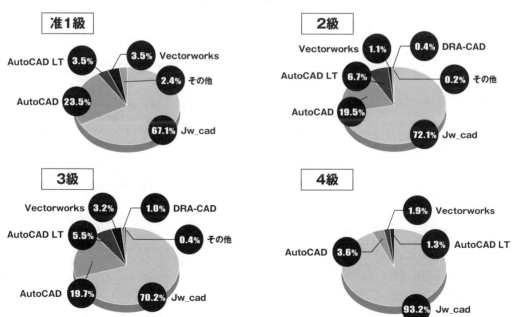

建築CAD検定試験　認定校一覧

令和6年1月現在

学校名	都道府県名
Win スクール札幌駅前校	北海道
アビバ札幌大通校	北海道
イデアル IT スクール旭川校	北海道
エイジェックグループ 能力開発センター札幌共同校	北海道
パソコン教室 パソコン塾えむねっと	北海道
株式会社建築資料研究社 日建学院札幌校	北海道
釧路地域職業訓練センター	北海道
国立釧路工業高等専門学校	北海道
札幌科学技術専門学校	北海道
札幌職業能力開発センター	北海道
青山建築デザイン・医療事務専門学校	北海道
専門学校札幌デザイナー学院	北海道
日本工学院北海道専門学校	北海道
北海道障害者職業能力開発校	北海道
北海道苫小牧工業高等学校 定時制課程	北海道
北海道旭川工業高等学校	北海道
北海道釧路工業高等学校	北海道
北海道芸術デザイン専門学校	北海道
北海道江別高等学校	北海道
北海道札幌工業高等学校	北海道
北海道札幌工業高等学校 定時制課程	北海道
北海道室蘭工業高等学校	北海道
北海道小樽未来創造高等学校	北海道
北海道職業能力開発促進センター	北海道
北海道職業能力開発促進センター函館訓練センター	北海道
北海道職業能力開発大学校	北海道
北海道帯広工業高等学校	北海道
北海道函館工業高等学校	北海道
北海道美唄尚栄高等学校	北海道
北海道北見工業高等学校	北海道
北海道名寄産業高等学校	北海道
北海道旭川高等技術専門学院	北海道
北海道立釧路高等技術専門学院	北海道
北海道立札幌高等技術専門学院	北海道
北海道立帯広高等技術専門学院	北海道
北海道留萌高等学校	北海道
専門学校アレック情報ビジネス学院	青森県
PC ランド三沢校	青森県
青森県立弘前高等技術専門校	青森県
キャリアスクール・ソフトキャンパス弘前校	青森県
キャリアスクール・ソフトキャンパス青森校	青森県
まなびレッジ	青森県
青森県立弘前工業高等学校	青森県
青森県立十和田工業高等学校	青森県
青森県立青森工業高等学校	青森県
青森県立八戸工業高等学校	青森県
青森職業能力開発促進センター	青森県
東北外語学院	青森県
八戸工業大学	青森県
八戸職業能力開発校	青森県
MCL 盛岡情報ビジネス専門学校	岩手県
W_plan TRM	岩手県
Win スクール盛岡校	岩手県
アビバ盛岡校	岩手県
遠野職業訓練協会	岩手県
一関職業訓練協会	岩手県
株式会社建築資料研究社 日建学院盛岡校	岩手県
岩手県立花巻農業高等学校	岩手県
岩手県立久慈工業高等学校	岩手県

学校名	都道府県名
岩手県立宮古工業高等学校	岩手県
岩手県立産業技術短期大学校	岩手県
岩手県立水沢工業高等学校	岩手県
岩手県立盛岡工業高等学校	岩手県
岩手県立大学盛岡短期大学部	岩手県
岩手職業能力開発促進センター	岩手県
宮古高等職業訓練校	岩手県
江刺職業訓練協会	岩手県
盛岡地域職業訓練センター	岩手県
胆江地域職業訓練センター	岩手県
二戸地域職業訓練センター	岩手県
北上コンピュータ・アカデミー	岩手県
CDI キャリアスクール 石巻校	宮城県
Win スクール仙台駅前校	宮城県
アビバ仙台駅前校	宮城県
キャリアスクール・ソフトキャンパス仙台校	宮城県
グッドワン合同会社	宮城県
株式会社エイジェック 仙台職業訓練校	宮城県
宮城県古川工業高等学校	宮城県
宮城県工業高等学校	宮城県
宮城県白石工業高等学校	宮城県
宮城県立仙台高等技術専門校	宮城県
宮城職業能力開発促進センター	宮城県
尚絅学院大学	宮城県
仙台工科専門学校	宮城県
仙台市立仙台工業高等学校	宮城県
東北職業能力開発大学校	宮城県
東北電子専門学校	宮城県
東北文化学園専門学校	宮城県
有限会社ハーデイズ	宮城県
みくにコンピュータースクール	秋田県
有限会社ヒューマン・サービス	秋田県
秋田県立横手清陵学院高等学校	秋田県
秋田県立金足農業高等学校	秋田県
秋田県立秋田工業高等学校	秋田県
秋田県立大館桂桜高等学校	秋田県
秋田県立大曲工業高等学校	秋田県
秋田県立鷹巣技術専門校	秋田県
秋田県立由利工業高等学校	秋田県
秋田職業能力開発短期大学校	秋田県
秋田職業能力開発促進センター	秋田県
山形デザイン専門学校	山形県
山形県立新庄神室産業高等学校	山形県
山形職業能力開発促進センター	山形県
山形職業能力開発訓練センター	山形県
新庄マイスターカレッジ	山形県
創学館高等学校	山形県
アビバイオンタウン郡山校	福島県
アビバ福島校	福島県
ソフトパレット	福島県
会津アピオパソコンスクール	福島県
会津職業能力開発促進センター	福島県
学校法人松韻学園福島高等学校	福島県
国際情報工科自動車大学校	福島県
福島県立相馬農業高等学校	福島県
福島県立磐城農業高等学校	福島県
福島県立福島工業高等学校	福島県
福島県立福島工業高等学校 定時制	福島県
福島県立福島明成高等学校	福島県

学校名	都道府県名
福島県立勿来工業高等学校	福島県
福島職業能力開発促進センター	福島県
CAD スクールイットク茨城水戸校	茨城県
Win スクールつくば校	茨城県
Win スクール水戸校	茨城県
ぱるキャリアスクール水戸校	茨城県
ミラクルパソコンスクール古河校	茨城県
茨城県立つくば工科高等学校	茨城県
茨城県立水戸工業高等学校	茨城県
茨城県立下館工業高等学校	茨城県
茨城県立土浦工業高等学校	茨城県
株式会社建築資料研究社 日建学院つくば校	茨城県
株式会社建築資料研究社 日建学院水戸校	茨城県
株式会社瀬尾抜教育研究アカデミー	茨城県
古河テクノビジネス専門学校	茨城県
水戸日建工科専門学校	茨城県
筑波研究学園専門学校	茨城県
有限会社ピュアメイト	茨城県
JOY パソコンスクール佐野本校	栃木県
Win スクール宇都宮校	栃木県
アビバ宇都宮ベルモール校	栃木県
宇都宮メディア・アーツ専門学校	栃木県
オリオン IT 専門学校	栃木県
さくら職業能力訓練センター	栃木県
宇都宮日建工科専門学校	栃木県
関東職業能力開発大学校	栃木県
佐野共同高等産業技術学校	栃木県
足利大学附属高等学校	栃木県
大田原職業能力訓練センター	栃木県
栃木県立今市工業高等学校	栃木県
栃木県立真岡工業高等学校	栃木県
栃木県立栃木農業高等学校	栃木県
栃木県立那須清峰高等学校	栃木県
栃木職業能力開発促進センター	栃木県
薄葉パソコン教室	栃木県
IBC アカデミー	群馬県
Win スクール高崎校	群馬県
伊勢崎パソコン教室	群馬県
国際産業技術専門学校	群馬県
フェリカ建築&デザイン専門学校	群馬県
株式会社建築資料研究社 日建学院太田校	群馬県
株式会社建築資料研究社 日建学院群馬校	群馬県
群馬県立藤岡北高等学校	群馬県
群馬県立館林商工高等学校	群馬県
群馬県立桐生工業高等学校	群馬県
群馬県立吾妻中央高等学校	群馬県
群馬県立高崎工業高等学校	群馬県
群馬県立高崎産業技術専門校	群馬県
群馬県立前橋工業高等学校	群馬県
群馬県立長野原高等学校	群馬県
群馬県立利根実業高等学校	群馬県
群馬日建工科専門学校	群馬県
中央情報大学校	群馬県
東日本デザイン & コンピュータ専門学校	群馬県
CAD 製図専門学校	埼玉県
MOA パソコンスクール	埼玉県
Win スクール大宮校	埼玉県
アビバララガーデン春日部校	埼玉県
アビバ浦和パルコ校	埼玉県

学校名	都道府県名	学校名	都道府県名	学校名	都道府県名
アビバ熊谷校	埼玉県	株式会社アクト・テクニカルサポート	東京都	新潟日建工科専門学校	新潟県
アビバ所沢校	埼玉県	株式会社ユニバーサル建設 関東支店	東京都	新発田人材育成スクール	新潟県
アビバ川越モディ校	埼玉県	甲介塾	東京都	村上高等職業訓練校	新潟県
アビバ大宮アルシェ校	埼玉県	国士舘大学	東京都	アルファデータパソコンスクール	富山県
株式会社建築資料研究社 日建学院熊谷校	埼玉県	住文化研究所	東京都	アルファデータパソコンスクール高岡校	富山県
株式会社建築資料研究社 日建学院大宮校	埼玉県	正栄 CAD&OA エデュケーションセンター	東京都	パソコンスクールクッキーアピタ富山校	富山県
国立武蔵野学院	埼玉県	町田・デザイン専門学校	東京都	富山クリエイティブ専門学校	富山県
埼玉県立浦和工業高等学校	埼玉県	東京工学院専門学校	東京都	富山県技術専門学院	富山県
埼玉県立熊谷工業高等学校	埼玉県	東京障害者職業能力開発校	東京都	富山県立高岡工芸高等学校	富山県
埼玉県立春日部工業高等学校	埼玉県	東京都立町田工業高等学校	東京都	富山情報ビジネス専門学校	富山県
埼玉県立川越工業高等学校	埼玉県	東京都立工芸高等学校	東京都	Win スクール金沢アピタ校	石川県
埼玉県立大宮工業高等学校	埼玉県	東京都立総合工科高等学校	東京都	ドリームカレッジ	石川県
埼玉県立大宮工業高等学校 定時制	埼玉県	東京都立蔵前工科高等学校	東京都	金城大学短期大学部	石川県
渋谷 CAD スクール	埼玉県	東京都立田無工科高等学校	東京都	金沢オフィス・医療事務専門学校	石川県
川越職業能力訓練センター	埼玉県	東京都立墨田工科高等学校	東京都	国立石川工業高等専門学校	石川県
千葉職業能力開発促進センター	千葉県	東京都立墨田工科高等学校 定時制課程	東京都	石川県立羽咋工業高等学校	石川県
Win スクール柏校	千葉県	東京日建工科専門学校	東京都	石川県立小松工業高等学校	石川県
Win スクール千葉校	千葉県	日本工学院専門学校	東京都	大原情報デザインアート専門学校金沢校	石川県
Win スクール船橋駅前校	千葉県	日本工学院八王子専門学校	東京都	アビバLpa福井校	福井県
アビバ千葉駅前校	千葉県	日本工業大学駒場高等学校	東京都	株式会社ヒューマン・デザイン	福井県
アビバ津田沼校	千葉県	Pasogeo 横須賀校	神奈川県	国際ビジネス専門学校	福井県
アビバ柏駅前校	千葉県	Win スクール藤沢校	神奈川県	福井県立敦賀工業高等学校	福井県
オレンジパソコンスクール横芝校	千葉県	Win スクール横浜校	神奈川県	福井県立武生商工高等学校	福井県
オレンジパソコンスクール東金大網校	千葉県	アビバイオン海老名校	神奈川県	ASUKA パソコンスクール	山梨県
まなべるパソコンスクール旭校	千葉県	アビバ横浜校	神奈川県	甲府職業能力訓練センター	山梨県
株式会社建築資料研究社 日建学院船橋校	千葉県	アビバ溝の口校	神奈川県	山梨県立農林高等学校	山梨県
千葉県立市川工業高等学校 インテリア科	千葉県	アビバ上大岡校	神奈川県	山梨県立峡南高等学校	山梨県
千葉県立市川工業高等学校 建築科	千葉県	アビバ川崎ルフロン校	神奈川県	山梨県立甲府工業高等学校	山梨県
千葉県立障害者高等技術専門校	千葉県	アビバ藤沢校	神奈川県	山梨県立甲府工業高等学校 定時制	山梨県
千葉県立東総工業高等学校	千葉県	キャリアスクール・ソフトキャンパス横浜校	神奈川県	山梨県立笛吹高等学校	山梨県
千葉日建工科専門学校	千葉県	フェニックスパソコンスクール	神奈川県	山梨県立富士北稜高等学校	山梨県
専門学校国際理工カレッジ	千葉県	横浜日建工科専門学校	神奈川県	山梨県立北杜高等学校	山梨県
柏工業専門校	千葉県	株式会社アルファ設計	神奈川県	山梨情報科学専門学校	山梨県
3A CAD スクール	東京都	関東職業能力開発促進センター	神奈川県	山梨職業能力開発促進センター	山梨県
Win スクール秋葉原校	東京都	神奈川県立磯子工業高等学校	神奈川県	富士吉田職業訓練協会	山梨県
Win スクール北千住校	東京都	神奈川県立向の岡工業高等学校	神奈川県	AI パソコンスクール	長野県
Win スクール銀座校	東京都	神奈川県立神奈川工業高等学校	神奈川県	長野職業能力開発促進センター	長野県
Win スクール立川校	東京都	神奈川県立西部総合職業技術校	神奈川県	国際コンピュータビジネス専門学校	長野県
Win スクール町田校	東京都	神奈川県立藤沢工科高等学校	神奈川県	長野県松本技術専門校	長野県
Win スクール渋谷校	東京都	川崎市立川崎総合科学高等学校	神奈川県	長野県池田工業高等学校	長野県
Win スクール新宿校	東京都	浅野工学専門学校	神奈川県	長野県長野工業高等学校	長野県
アビバ吉祥寺駅前校	東京都	CAD スクール FSK	新潟県	長野県南安曇農業高等学校	長野県
アビバ錦糸町校	東京都	CAD スクールりゅう	新潟県	長野県飯田技術専門校	長野県
アビバ銀座校	東京都	Win スクール新潟駅前校	新潟県	長野県木曽青峰高等学校	長野県
アビバ渋谷校	東京都	アビバ新潟校	新潟県	アビバアクアウォーク大垣校	岐阜県
アビバ上野校	東京都	クリエイティブ WEB	新潟県	アビバマーサ 21 校	岐阜県
アビバ新宿校	東京都	伝統文化と環境福祉の専門学校	新潟県	キュリオステーション田神店	岐阜県
アビバ赤羽校	東京都	新潟県立魚沼テクノスクール	新潟県	関市立関商工高等学校	岐阜県
アビバ大井町校	東京都	新潟県立上越テクノスクール	新潟県	岐阜県立可児工業高等学校	岐阜県
アビバ池袋校	東京都	パソコン教室ぱる新潟燕校	新潟県	岐阜県立岐南工業高等学校	岐阜県
アビバ町田校	東京都	ヒューマンアカデミー新潟	新潟県	岐阜県立岐阜工業高等学校	岐阜県
アビバ調布校	東京都	十日町市高等職業訓練校	新潟県	岐阜県立岐阜工業高等学校	岐阜県
アビバ八王子オクトーレ校	東京都	職業能力開発センター新潟校	新潟県	岐阜県立高山工業高等学校	岐阜県
アビバ立川校	東京都	新潟県立上越総合技術高等学校	新潟県	岐阜県立国際たくみアカデミー 職業能力開発短期大学校	岐阜県
キャリアスクール・ソフトキャンパス新宿校	東京都	新潟県立新潟中央工業高等学校	新潟県	岐阜県立大垣工業高等学校	岐阜県
都立城南職業能力開発センター	東京都	新潟県立新潟工業高等学校	新潟県	岐阜県立中津川工業高等学校	岐阜県
都立中央・城北職業能力開発センター　赤羽校	東京都	新潟県立新津工業高等学校	新潟県	岐阜市立女子短期大学	岐阜県
ヒューマンアカデミー株式会社 行政営業部	東京都	新潟県立新発田南高等学校	新潟県	岐阜職業能力開発促進センター	岐阜県
ヒューマンアカデミー株式会社 法人営業部	東京都	新潟県立長岡工業高等学校	新潟県	Win スクール静岡校	静岡県
フェリカテクニカルアカデミー	東京都	新潟工科専門学校	新潟県	Win スクール浜松校	静岡県
マチスアカデミー秋葉原校	東京都	新潟職業能力開発促進センター	新潟県	アビバサントムーン柿田川校	静岡県
株式会社アイプラフ	東京都	新潟職業能力開発短期大学校	新潟県	アビバプレ葉ウォーク浜北校	静岡県

学校名	都道府県名	学校名	都道府県名	学校名	都道府県名
アビバ静岡モディ校	静岡県	滋賀県立彦根工業高等学校	滋賀県	神戸電子専門学校	兵庫県
デザインテクノロジー専門学校	静岡県	Win スクール草津校	滋賀県	日本工科大学校	兵庫県
静岡キャリアアップスクール	静岡県	アビバイオンモール草津校	滋賀県	兵庫県立兵庫工業高等学校	兵庫県
静岡デザイン専門学校	静岡県	パソコンスクール ACT ワールド	滋賀県	兵庫県立ものづくり大学校	兵庫県
静岡県立島田工業高等学校	静岡県	メニックス CAD スクール	滋賀県	兵庫県立上郡高等学校	兵庫県
静岡県立富岳館高等学校	静岡県	滋賀職業能力開発短期大学校	滋賀県	兵庫県立神戸高等技術専門学院	兵庫県
静岡県立伊豆総合高等学校	静岡県	Win スクール京都駅前校	京都府	兵庫県立但馬技術大学校	兵庫県
静岡県立科学技術高等学校	静岡県	Win スクール四条河原町校	京都府	兵庫県立東播工業高等学校	兵庫県
静岡県立掛川工業高等学校	静岡県	アビバ京都駅前校	京都府	兵庫県立尼崎工業高等学校	兵庫県
静岡県立沼津工業高等学校	静岡県	アビバ北大路ビブレ校	京都府	兵庫県立農業高等学校	兵庫県
静岡県立天竜高等学校	静岡県	モーリスビジネス学院	京都府	兵庫県立姫路工業高等学校	兵庫県
静岡県立浜松工業高等学校	静岡県	京都芸術デザイン専門学校	京都府	兵庫職業能力開発促進センター	兵庫県
静岡産業技術専門学校	静岡県	京都建築専門学校	京都府	兵庫職業能力開発促進センター加古川訓練センター	兵庫県
静岡職業能力開発促進センター	静岡県	京都市立京都工学院高等学校	京都府	有限会社ビーマン	兵庫県
専門学校ノアデザインカレッジ	静岡県	京都府立京都高等技術専門校	京都府	奈良県立高等技術専門校	奈良県
日本建築専門学校	静岡県	京都府立海洋高等学校	京都府	KSK パソコンスクール奈良校	奈良県
浜松日建工科専門学校	静岡県	京都府立福知山高等技術専門校	京都府	アビバイオンモール大和郡山校	奈良県
Win スクール豊田校	愛知県	専門学校 YIC 京都工科大学校	京都府	アビバイオンモール橿原校	奈良県
Win スクール栄校	愛知県	丹後地域職業訓練センター	京都府	学校法人永井学園	奈良県
Win スクール名古屋駅前校	愛知県	Win スクールなんば校	大阪府	帝塚山大学	奈良県
アイテック教育センター	愛知県	Win スクール天王寺校	大阪府	奈良県立奈良商工高等学校	奈良県
アビバイオンモール扶桑校	愛知県	Win スクール梅田校	大阪府	奈良県立吉野高等学校	奈良県
アビバイオン豊橋南校	愛知県	アクセス PC カレッジ	大阪府	和歌山コンピュータビジネス専門学校	和歌山県
アビバテックランド星ヶ丘校	愛知県	アビバあべのキューズモール校	大阪府	オールマイティパソコンスクール岩出教室	和歌山県
アビバ金山校	愛知県	アビバイオンモール茨木校	大阪府	オールマイティパソコンスクール本校	和歌山県
アビバ東岡崎校	愛知県	アビバなんば校	大阪府	和歌山県立熊野高等学校	和歌山県
アビバ名古屋駅前校	愛知県	アビバ京橋校	大阪府	和歌山県立和歌山工業高等学校	和歌山県
クローバーパソコン&カルチャースクール	愛知県	アビバ梅田校	大阪府	和歌山県立和歌山工業高等学校 定時制	和歌山県
豊橋情報ビジネス高等専修学校	愛知県	アビバ枚方校	大阪府	和歌山県立和歌山産業技術専門学院	和歌山県
名古屋文化短期大学	愛知県	ティップスパソコンスクール梅田校	大阪府	和歌山職業能力開発促進センター	和歌山県
パソコンスクールなぎの	愛知県	羽衣国際大学	大阪府	鳥取県立智頭農林高等学校	鳥取県
愛知建連技能専門校	愛知県	株式会社ユニバーサル建設	大阪府	鳥取県立産業人材育成センター 米子校	鳥取県
愛知県立愛西工科高等学校	愛知県	近畿テクノ学院梅田校	大阪府	鳥取県立鳥取工業高等学校	鳥取県
愛知県立稲沢緑風館高等学校	愛知県	近畿職業能力開発大学校	大阪府	鳥取県立米子工業高等学校	鳥取県
愛知県立一宮工科高等学校	愛知県	堺市立堺高等学校	大阪府	鳥取職業能力開発促進センター	鳥取県
愛知県立東三河高等技術専門校	愛知県	堺市立堺高等学校 定時制	大阪府	鳥取職業能力開発促進センター米子訓練センター	鳥取県
愛知県立名古屋高等技術専門校	愛知県	四天王寺大学	大阪府	株式会社柳キャン	島根県
愛知産業大学	愛知県	修成建設専門学校	大阪府	島根県立松江工業高等学校 定時制	島根県
株式会社エイジェック 名古屋職業訓練校	愛知県	大阪府立都島工業高等学校	大阪府	島根県立江津工業高等学校	島根県
中部コンピュータ・パティシエ・保育専門学校	愛知県	大阪建設専門学校	大阪府	島根県立出雲工業高等学校	島根県
中部職業能力開発促進センター	愛知県	大阪市立都島第二工業高等学校	大阪府	島根県立松江工業高等学校	島根県
東海工業専門学校金山校	愛知県	大阪成蹊大学	大阪府	島根職業能力開発促進センター	島根県
富士通オープンカレッジ名古屋駅前校	愛知県	大阪総合デザイン専門学校	大阪府	島根職業能力開発短期大学校	島根県
名古屋未来工科専門学校	愛知県	大阪府立芦間高等学校	大阪府	Win スクール岡山校	岡山県
有限会社森本パソコンスクール	愛知県	大阪府立園芸高等学校	大阪府	アビバイオンモール倉敷校	岡山県
PC スクール ピーカル鈴鹿	三重県	大阪府立今宮工科高等学校	大阪府	アビバ岡山駅前校	岡山県
Win スクール四日市校	三重県	大阪府立今宮工科高等学校 工学系大学進学専科	大阪府	サスケ・アカデミー岡山	岡山県
アビバイオンモール鈴鹿校	三重県	大阪府立西野田工科高等学校	大阪府	岡山科学技術専門学校	岡山県
プランニングゼミナール	三重県	大阪府立東住吉総合高等学校	大阪府	岡山県立東岡山工業高等学校	岡山県
マテリアル伊勢パソコン教室	三重県	大阪府立布施工科高等学校	大阪府	岡山県立水島工業高等学校	岡山県
三重県立伊賀白鳳高等学校	三重県	大阪府立夕陽丘高等職業技術専門校	大阪府	岡山県立津山工業高等学校	岡山県
三重県立伊勢工業高等学校	三重県	Win スクール姫路イオンタウン校	兵庫県	岡山職業能力開発促進センター	岡山県
三重県立久居農林高等学校	三重県	Win スクール三宮校	兵庫県	岡山理科大学専門学校	岡山県
三重県立四日市工業高等学校	三重県	アビバビオレ姫路校	兵庫県	国立吉備高原職業リハビリテーションセンター	岡山県
三重県立四日市工業高等学校 定時制	三重県	アビバ三ノ宮校	兵庫県	中国デザイン専門学校	岡山県
三重県立津工業高等学校	三重県	アビバ西宮北口校	兵庫県	Win スクール広島本校	広島県
三重県立津高等技術学校	三重県	アビバ明石校	兵庫県	Win スクール福山校	広島県
三重職業能力開発促進センター	三重県	ネットワーク建築 CAD スクール	兵庫県	アビバ広島大手町校	広島県
三重職業能力開発促進センター伊勢訓練センター	三重県	パソコン塾 e-TOMO	兵庫県	アビバゆめタウン呉校	広島県
勢和ビジネス専門学校	三重県	国立県営兵庫障害者職業能力開発校	兵庫県	アビバ福山校	広島県
徳風高等学校	三重県	神戸市立科学技術高等学校	兵庫県	エイジェックグループ 能力開発センター広島共同校	広島県

学校名	都道府県名
ぱるキャリアスクール神辺校	広島県
株式会社住宅デザイン研究所	広島県
穴吹デザイン専門学校	広島県
穴吹情報デザイン専門学校	広島県
建築技術学校	広島県
広島県立宮島工業高等学校 インテリア科	広島県
広島県立宮島工業高等学校 建築科	広島県
広島県立広島工業高等学校	広島県
広島県立広島高等技術専門校	広島県
広島県立府中東高等学校	広島県
広島県立福山工業高等学校	広島県
広島県立福山高等技術専門校	広島県
広島工業大学専門学校	広島県
広島市立広島工業高等学校	広島県
広島職業能力開発促進センター	広島県
専門学校福山国際外語学院	広島県
アドバンスクール下関校	山口県
アドバンスクール山口校	山口県
山口県立西部高等産業技術学校	山口県
株式会社建築資料研究社 日建学院山口校	山口県
山口パソコン教室	山口県
山口県立宇部西高等学校	山口県
山口県立下関工科高等学校	山口県
山口県立下関中央工業高等学校	山口県
山口県立岩国工業高等学校	山口県
山口県立田布施農工高等学校	山口県
山口県立萩商工高等学校	山口県
山口職業能力開発促進センター	山口県
美祢職業能力訓練センター	山口県
有限会社パソコンアカデミー	山口県
アビバ徳島校	徳島県
サスケ・アカデミー徳島	徳島県
株式会社建築資料研究社 日建学院徳島校	徳島県
徳島職業能力開発促進センター	徳島県
徳島文理大学	徳島県
Win スクール高松瓦町校	香川県
アビバ・大栄マリタイムプラザ高松校	香川県
就労継続支援 A 型事業所 サスケ工房鳴門	香川県
香川県立高等技術学校 丸亀校	香川県
香川県立高等技術学校 高松校	香川県
香川県立多度津高等学校	香川県
四国総合ビジネス専門学校	香川県
独立行政法人香川高等専門学校	香川県
KO パソコン教室	愛媛県
Win スクール松山校	愛媛県
アビバ松山校	愛媛県
サスケ・アカデミー新居浜	愛媛県
愛媛県立宇和島高等技術専門校	愛媛県
愛媛県立松山工業高等学校	愛媛県
愛媛県立東予高等学校	愛媛県
愛媛職業能力開発促進センター	愛媛県
河原デザイン・アート専門学校	愛媛県
香川県立坂出工業高等学校	愛媛県
松山聖陵高等学校	愛媛県
簿記・パソコンスクール新居浜	愛媛県
有限会社ナカノジョイントカンパニー	愛媛県
アビバ高知校	高知県
高知県立須崎総合高等学校	高知県
高知県立安芸桜ヶ丘高等学校	高知県
高知県立高知工業高等学校	高知県
高知県立高知工業高等学校 定時制	高知県

学校名	都道府県名
高知県立高知高等技術学校	高知県
高知県立高知農業高等学校	高知県
高知県立中村高等技術学校	高知県
高知職業能力開発促進センター	高知県
国際デザイン・ビューティカレッジ	高知県
Win スクール福岡天神校	福岡県
Win スクール北九州小倉校	福岡県
アドバンスクール天神校	福岡県
アドバンスクール北九州小倉校	福岡県
アビバ久留米校	福岡県
アビバ小倉校	福岡県
アビバ天神校	福岡県
アビバ博多校	福岡県
パソコンスクール PC ワークス	福岡県
ビジネススクールLinktoLink 久留米校	福岡県
ビジネススクールLinktoLink 大牟田銀座通校	福岡県
株式会社エイジェック　福岡職業訓練校	福岡県
株式会社プロサポート	福岡県
株式会社大設計　ダイ・キャリア	福岡県
株式会社池下設計　九州支店	福岡県
久留米地区職業訓練協会	福岡県
九州産業高等学校	福岡県
真颯館高等学校	福岡県
西日本工業大学	福岡県
西日本短期大学	福岡県
専門学校九州デザイナー学院	福岡県
大牟田高等学校	福岡県
筑紫台高等学校	福岡県
福岡 CAD スクール	福岡県
福岡デザインコミュニケーション専門学校	福岡県
福岡建設専門学校	福岡県
福岡県立小倉南高等学校 定時制課程	福岡県
福岡県立戸畑工業高等学校	福岡県
福岡県立久留米高等技術専門校	福岡県
福岡県立小倉工業高等学校	福岡県
福岡県立小倉高等技術専門校	福岡県
福岡県立小竹高等技術専門校	福岡県
福岡県立大川樟風高等学校	福岡県
福岡県立福岡高等技術専門校	福岡県
福岡県立福岡高等聴覚特別支援学校	福岡県
福岡工業大学短期大学部	福岡県
福岡市立浮羽工業高等学校	福岡県
福岡市立博多工業高等学校	福岡県
福岡障害者職業能力開発校	福岡県
福岡職業能力開発促進センター	福岡県
福岡職業能力開発促進センター飯塚訓練センター	福岡県
麻生建築&デザイン専門学校	福岡県
有限会社祐建築事務所 ぱそこん塾舎	福岡県
祐誠高等学校	福岡県
株式会社建築資料研究社 日建学院佐賀校	佐賀県
アビバ佐賀校	佐賀県
佐賀県立嬉野高等学校塩田校舎	佐賀県
佐賀県立唐津工業高等学校	佐賀県
佐賀県立佐賀工業高等学校	佐賀県
佐賀県立産業技術学院	佐賀県
佐賀県立鳥栖工業高等学校	佐賀県
佐賀職業能力開発促進センター	佐賀県
北陵高等学校	佐賀県
有限会社イー・エム・エー	佐賀県
Win スクール長崎校	長崎県
アビバ長崎校	長崎県

学校名	都道府県名
長崎職業能力開発促進センター佐世保訓練センター	長崎県
長崎県央職業訓練校	長崎県
長崎県建設技術専門学院	長崎県
長崎県立佐世保高等技術専門校	長崎県
長崎県立佐世保工業高等学校	長崎県
長崎県立大村工業高等学校	長崎県
長崎県立長崎工業高等学校	長崎県
長崎県立長崎工業高等学校 定時制	長崎県
長崎県立長崎高等技術専門校	長崎県
長崎県立島原工業高等学校	長崎県
長崎職業能力開発促進センター	長崎県
有限会社佐世保情報アカデミー	長崎県
熊本県立球磨工業高等学校	熊本県
熊本県立玉名工業高等学校	熊本県
Win スクール 水前寺校	熊本県
アビバ熊本校	熊本県
熊本市立総合ビジネス専門学校	熊本県
中九州短期大学	熊本県
パソコンスクール フィーロ	熊本県
熊本県立熊本工業高等学校 定時制	熊本県
熊本高等専門学校	熊本県
熊本市職業訓練センター	熊本県
熊本職業能力開発促進センター	熊本県
専修学校熊本 YMCA 学院	熊本県
有限会社 PC クリエイト	熊本県
IVY 大分高度コンピュータ専門学校	大分県
アビバアミュプラザおおいた校	大分県
エディスパソコン学院	大分県
パソコンスクール apc	大分県
別府重度障害者センター	大分県
マイパソコンスクール	大分県
株式会社建築資料研究社 日建学院大分校	大分県
大分県立工科短期大学校	大分県
大分県立佐伯高等技術専門校	大分県
大分県立大分工業高等学校	大分県
大分県立大分高等技術専門校	大分県
大分県立鶴崎工業高等学校	大分県
大分県立日田林工高等学校	大分県
大分職業能力開発促進センター	大分県
日本文理大学附属高等学校	大分県
株式会社 OFA	宮崎県
宮崎県立宮崎工業高等学校	宮崎県
宮崎県立日向工業高等学校	宮崎県
宮崎職業能力開発促進センター	宮崎県
宮崎職業能力開発促進センター延岡訓練センター	宮崎県
都城地域高等職業訓練校	宮崎県
東児湯高等職業訓練校	宮崎県
南九州大学	宮崎県
Win スクール鹿児島中央駅前校	鹿児島県
アビバ鹿児島校	鹿児島県
れいめい高等学校	鹿児島県
株式会社コルテーヌ	鹿児島県
鹿児島県立加治木工業高等学校	鹿児島県
鹿児島県立宮之城高等技術専門校	鹿児島県
鹿児島県立薩南工業高等学校	鹿児島県
鹿児島県立鹿屋工業高等学校	鹿児島県
鹿児島県立鹿児島工業高等学校	鹿児島県
鹿児島県立鹿児島聾学校	鹿児島県
鹿児島県立出水工業高等学校	鹿児島県
鹿児島県立川内商工高等学校	鹿児島県
鹿児島工学院専門学校	鹿児島県

学校名	都道府県名
鹿児島職業能力開発促進センター	鹿児島県
尚志館高等学校	鹿児島県
第一工科大学	鹿児島県
OC ネット有限会社	沖縄県
アビバ那覇校	沖縄県
サイ・テク・カレッジ那覇	沖縄県
パソコンスクールビーンズ	沖縄県
沖縄県立浦添職業能力開発校	沖縄県
沖縄県立浦添工業高等学校	沖縄県
沖縄県立沖縄工業高等学校	沖縄県
沖縄県立宮古総合実業高等学校	沖縄県
沖縄県立中部農林高等学校	沖縄県
沖縄県立南部工業高等学校	沖縄県
沖縄県立八重山農林高等学校	沖縄県
沖縄県立美里工業高等学校	沖縄県
沖縄県立名護商工高等学校	沖縄県
沖縄職業能力開発促進センター	沖縄県
沖縄職業能力開発大学校	沖縄県
専修学校インターナショナルデザインアカデミー	沖縄県
専修学校サイ・テク・カレッジ美浜	沖縄県
専修学校パシフィックテクノカレッジ学院	沖縄県

※その他公的職業訓練機関などにて実施

採点方法について

　建築 CAD 検定試験は試験センターで人間が採点します。採点方法は厳密でしかも複数の人間がチェックするため大変に信頼できるものです。チェック項目の中に「図面全体イメージ」という印象点の項目がありますがこれは担当者の合議によって採点します。さらにボーダーラインにある解答に対しては、採点担当者以外の人間（筆者もメンバー）の意見を元に調整します。もっとも「図面全体イメージ」は全点数の 10% 程度ですし、担当者がほぼ妥当な点数を付けていますので、採点担当者以外の人間の意見が合否に影響することは数えるほどしかありません。それに不合格が合格に変わることはあっても、逆は無いといってよいでしょう。

　次ページ以降に 2 級、3 級試験の採点基準を示しますので参考にしてください。採点基準はこれまで何回も微調整が行われていますので今後も同じものが使われるとは限りません。次ページ以降で紹介するのは最新（2024 年 4 月の試験用）の採点基準です。参照 250 ページ

VII
受験案内

印刷したもので採点

　採点は受験者が入力した図面を印刷して行います。印刷したものを正解と重ね合わせ、トレース台（下から照明で照らす器具）に載せてチェックします。印刷は団体受験なら監督者（あるいは監督者の関係者）が一括して行います。一般受験では採点者が印刷します。まれに団体受験の印刷方法が間違っている場合があります。たとえば縮尺が正確でないといった場合です。このようなときは採点者が印刷しなおして採点に使います。

　以上のように受験者自身が印刷するわけではないので線の太さなど印刷に影響される項目は採点対象から外しています。ただし准 1 級試験は筆者が採点しており極端に線が太いとか読めないほど薄い建築図面として役立たない解答図面は不合格としています。このため受験者は印刷するとどうなるかを試験前に十分に勉強する必要があります。

　将来は印刷イメージファイル（PDF や DWF など）を用いて受験者自身が作成した出力結果を用いて採点したいと思っています。そうなれば現在は採点対象になっていない重要な項目についても採点することになります。

建築ＣＡＤ検定試験２級　採点基準

１．採点チェックポイント

チェック項目		チェックポイント
平面詳細図	①壁	壁及び柱の位置・壁の詳細表現が、正しく描かれている数
	②包絡	１つの交点に集まる、壁及び柱の包絡処理（交点の留め・線の消去）が、正しく描かれている数
	③建具	形状・開口寸法・位置が、正しく描かれている数
	④設備部品	形状・寸法・位置が、正しく描かれている数
	⑤雑線（造作材等）	形状・寸法・位置が、正しく描かれている数
	⑥寸法	寸法線・寸法補助線・寸法値・留めが、正しく描かれている数
	⑦文字	位置・内容が、正しく記入されている数
	⑧図面全体イメージ	全体の印象・図面の配置 ※①～⑦の項目で減点対象とならないミスを含む
立面図	⑨壁	壁及び柱の位置が、正しく描かれている数
	⑩建具	形状・寸法・位置が、正しく描かれている数
	⑪屋根	形状・寸法・位置が、正しく描かれている数
	⑫雑線 （床下換気口等）	形状・寸法・位置が、正しく描かれている数
	⑬建築基礎理解力	建築知識及び立体の把握と表現
	⑭図面全体イメージ	全体の印象・図面の配置 ※⑨～⑫の項目で減点対象とならないミスを含む

※以下の場合は採点対象外とする。
1）２枚の解答図面のうち１枚でも欠けている場合
2）縮尺違いの解答図面

2. 採点基準点数

	項　　目	ランク1	ランク2	ランク3	ランク4	ランク5	ランク6
平面詳細図	①壁	20	16	12	8	4	0
	②包絡	15	12	9	6	3	0
	③建具	20	16	12	8	4	0
	④設備部品	10	8	6	4	2	0
	⑤雑線(造作材等)	10	8	6	4	2	0
	⑥寸法	10	8	6	4	2	0
	⑦文字	5	4	3	2	1	0
	⑧図面全体イメージ	10	8	6	4	2	0
立面図	⑨壁	30	24	18	12	6	0
	⑩建具	35	28	21	14	7	0
	⑪屋根	50	40	30	20	10	0
	⑫雑線(床下換気口等)	15	12	9	6	3	0
	⑬建築基礎理解力	10	8	6	4	2	0
	⑭図面全体イメージ	10	8	6	4	2	0

3. ランクの基準

①〜⑦ ⑨〜⑫	ランク1	表現や大きさが適切で、必要数全て入力されている。
	ランク2	表現や大きさが適切で、必要数の80%程度入力されている。
	ランク3	表現や大きさが適切で、必要数の60%程度入力されている。
	ランク4	表現や大きさが適切で、必要数の40%程度入力されている。
	ランク5	表現や大きさが適切で、必要数の20%程度入力されている。
	ランク6	ランク5に満たない。

⑧ ⑬⑭	ランク1	非常に良い。
	ランク2	良い。
	ランク3	やや良い。
	ランク4	やや悪い。
	ランク5	悪い。
	ランク6	非常に悪い。

建築ＣＡＤ検定試験３級　採点基準

1．採点チェックポイント

チェック項目		チェックポイント
階段（A）	①段板	形状・位置・寸法が、正しく描かれている数
	②壁	形状・位置・寸法が、正しく描かれている数
	③雑線	形状・位置・寸法が、正しく描かれている数
	④包絡	１つの交点に集まる、壁及び柱の包絡処理（交点の留め・線の消去）が、正しく描かれている数
	⑤図面枠・文字	形状・位置・寸法・内容が、正しく表現されている数
	⑥図面全体イメージ	全体の印象・図面の配置 ※①〜⑤の項目で減点対象とならないミスを含む

チェック項目		チェックポイント
通り芯（B）	①芯	線種・形状・位置・寸法が、正しく描かれている数
	②記号	形状・位置・寸法が、正しく描かれている数
	③寸法	寸法値・寸法線・寸法補助線留めの有無・位置が、正しく描かれている数
	④図面枠・文字	形状・位置・寸法・内容が、正しく表現されている数
	⑤図面全体イメージ	全体の印象・図面の配置 ※①〜④の項目で減点対象とならないミスを含む

チェック項目		チェックポイント
壁（C）	①壁	形状・位置・寸法が、正しく描かれている数
	②柱	形状・位置・寸法が、正しく描かれている数
	③包絡	１つの交点に集まる、壁及び柱の包絡処理（交点の留め・線の消去）が、正しく描かれている数
	④芯	線種・形状・位置・寸法が、正しく描かれている数
	⑤図面枠・文字	形状・位置・寸法・内容が、正しく表現されている数
	⑥図面全体イメージ	全体の印象・図面の配置 ※①〜⑤の項目で減点対象とならないミスを含む

チェック項目		チェックポイント
建具（D）	①壁	形状・位置・寸法が、正しく描かれている数
	②建具	形状・位置・寸法が、正しく描かれている数
	③雑線	形状・位置・寸法が、正しく描かれている数
	④図面枠・文字	形状・位置・寸法・内容が、正しく表現されている数
	⑤図面全体イメージ	全体の印象・図面の配置 ※①〜④の項目で減点対象とならないミスを含む

※以下の場合は採点対象外とする。
1）４枚の解答図面のうち１枚でも欠けている場合
2）縮尺違いの解答図面

2. 採点基準点数

	チェック項目	ランク1	ランク2	ランク3	ランク4	ランク5	ランク6
階段（A）	①段板	20	16	12	8	4	0
	②壁	5	4	3	2	1	0
	③雑線	10	8	6	4	2	0
	④包絡	10	8	6	4	2	0
	⑤図面枠・文字	5	4	3	2	1	0
	⑥図面全体イメージ	5	4	3	2	1	0

	チェック項目	ランク1	ランク2	ランク3	ランク4	ランク5	ランク6
通り芯（B）	①芯	15	12	9	6	3	0
	②記号	5	4	3	2	1	0
	③寸法	10	8	6	4	2	0
	④図面枠・文字	5	4	3	2	1	0
	⑤図面全体イメージ	5	4	3	2	1	0

	チェック項目	ランク1	ランク2	ランク3	ランク4	ランク5	ランク6
壁（C）	①壁	10	8	6	4	2	0
	②柱	10	8	6	4	2	0
	③包絡	10	8	6	4	2	0
	④芯	10	8	6	4	2	0
	⑤図面枠・文字	5	4	3	2	1	0
	⑥図面全体イメージ	5	4	3	2	1	0

	チェック項目	ランク1	ランク2	ランク3	ランク4	ランク5	ランク6
建具（D）	①壁	10	8	6	4	2	0
	②建具	30	24	18	12	6	0
	③雑線	5	4	3	2	1	0
	④図面枠・文字	5	4	3	2	1	0
	⑤図面全体イメージ	5	4	3	2	1	0

3. ランクの基準

・図面全体イメージ以外の項目

ランク1	表現や大きさが適切で、必要数全て入力されている。
ランク2	表現や大きさが適切で、必要数の80%程度入力されている。
ランク3	表現や大きさが適切で、必要数の60%程度入力されている。
ランク4	表現や大きさが適切で、必要数の40%程度入力されている。
ランク5	表現や大きさが適切で、必要数の20%程度入力されている。
ランク6	ランク5に満たない。

・図面全体イメージ

ランク1	非常に良い。
ランク2	良い。
ランク3	やや良い。
ランク4	やや悪い。
ランク5	悪い。
ランク6	非常に悪い。

エクスナレッジ出版書誌のご案内

「CAD」の解説書といえば
「エクスナレッジ」です。

お求めの際はお近くの書店にてご注文、またはネット書店でご購入ください。
https://www.xknowledge.co.jp/

やさしく学ぶ Jw_cad 8 《デラックス版》

Obra Club 著
本体 3,300 円（税別）
ISBN978-4-7678-3227-2
B5判
付録 CD-ROM

Jw_cad入門書のベストセラー！　売り上げNo.1！　わかりやすさNo.1！　初心者やパソコンが苦手な方でもわかりやすい解説で、はじめての人でもJw_cadで図面をかけるようになります。付録CD-ROMには、人物、樹木、家具など著作権フリーCAD素材データを900点以上収録！

はじめて学ぶ Jw_cad 8

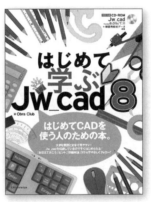

Obra Club 著
本体 2,400 円（税別）
ISBN978-4-7678-2207-5
A4 変型判
付録 CD-ROM

大きな図版と大きな文字、オールカラーで読みやすく、わかりやすい、いちばんかんたんなJw_cadの解説書。パソコンやCADに苦手意識をお持ちの方でもスムーズにJw_cadの基本操作を習得できます。

7日でおぼえる Jw_cad
Jw_cad 8 対応

富田泰二 著
本体 3,200 円（税別）
ISBN978-4-7678-2345-4
B5判
付録 CD-ROM

1日1章ずつ練習すると7日間で操作をおぼえられる、Jw_cadの入門書です。1日分の練習量は、コンパクトながら必要な操作を網羅。操作は1つずつ完結しているため、どのページからでも気軽に始められます。

パソコン超初心者のための
図解でかんたん！ Jw_cad 8

中央編集舎 著
本体 2,800 円（税別）
ISBN978-4-7678-2742-1
A4 変型判
付録 CD-ROM

パソコンの操作に馴染みがない方でも無理なく図面が描けるように、覚えるべき操作方法を厳選し、図を追うだけでも練習ができます。また、Jw_cadの操作に付随するパソコンやWindowsの基本操作についても丁寧に解説。

Jw_cad で学ぶ建築製図の基本
Jw_cad 8 対応版

櫻井良明 著
本体 3,300 円（税別）
ISBN978-4-7678-2355-3
B5判
付録 CD-ROM

Jw_cadの基本操作や機能などをおぼえながら、簡単に製図の基本が学べる入門書。図面の描き方とともに建築基礎用語も解説されているので、これから建築業界を目指す学生などにもうってつけです。

AutoCAD で学ぶ建築製図の基本
AutoCAD 2022 対応

鳥谷部真 著
本体 3,300 円（税別）
ISBN978-4-7678-2929-6
B5判

AutoCADの基本操作や機能などをおぼえながら、簡単に製図の基本が学べる入門書。図面の描き方とともに建築基礎用語も解説されているので、これから建築業界を目指す学生などにもうってつけです。

やさしく学ぶ AutoCAD LT
AutoCAD LT 2020/2019/2018/2017 対応

芳賀百合 著
本体 3,000 円（税別）
ISBN978-4-7678-2632-5
A4変型判

大きな図版と大きな文字、オールカラーで読みやすく、わかりやすい、いちばんかんたんな AutoCAD LT の解説書。パソコンやCADに苦手意識をお持ちの方でもスムーズにAutoCAD LTの基本操作を習得できます。

7 日でおぼえる AutoCAD
AutoCAD 2022 対応

鳥谷部真 著
本体 3,200 円（税別）
ISBN978-4-7678-2912-8
B5判

1日1章ずつ練習すると7日間で操作をおぼえられる、AutoCADの入門書です。1日分の練習量は、コンパクトながら必要な操作を網羅。操作は1つずつ完結しているため、どのページからでも気軽に始められます。

10 日でマスター！ VECTORWORKS
VECTORWORKS ARCHITECT/DESIGN SUITE 2022 対応

山川佳伸 著
本体 3,200 円（税別）
ISBN978-4-7678-3055-1
B5判

2次元製図から3Dモデリング、パース制作、プレゼンシート制作を行うための「これだけは知っておきたい」という機能・操作を厳選。それら一通りの操作を10日間でおぼえられる入門書です。

徹底解説 VECTORWORKS 2017-2018
基本編（2次元作図）

鳥谷部真 著
本体 3,600 円（税別）
ISBN978-4-7678-2425-3
B5判

ボリューム満点のVECTORWORKSの入門書です。2次元作図の基本から応用まで網羅した、図面を描く設計者必携の1冊。実務に即したわかりやすい解説で2次元作図をマスターできます！

2024 年度版
建築 CAD 検定試験
公式ガイドブック

2024 年 4 月 17 日　初版第 1 刷発行

著者　　鳥谷部 真
監修　　一般社団法人 全国建築 CAD 連盟

発行者　三輪浩之
発行所　株式会社エクスナレッジ
　　　　〒 106-0032　東京都港区六本木 7-2-26
　　　　https://www.xknowledge.co.jp/

問合せ先
編集　Fax 03-3403-0582 ／ info@xknowledge.co.jp
販売　Tel 03-3403-1321 ／ Fax 03-3403-1829

無断転載の禁止
本誌掲載記事（本文、図表、イラスト等）を当社および著作権者の承諾なしに無断で転載（翻訳、複写、
データベースへの入力、インターネットでの掲載等）することを禁じます。

ⓒ Makoto Toyabe 2024